Dr Werabesi Luther Tetuh

Dolmetschen aus einer Sprache d

Dr Werebesi Luther Tetuh

Dolmetschen aus einer Sprache der erweiterten Kommunikation in eine Sprache der

Der Fall von Englisch in Moghamo

ScienciaScripts

Imprint

Cover image: www.ingimage.com

This book is a translation from the original published under ISBN 978-620-7-44951-4.

Publisher:
Sciencia Scripts
is a trademark of
Dodo Books Indian Ocean Ltd. and OmniScriptum S.R.L publishing group

120 High Road, East Finchley, London, N2 9ED, United Kingdom
Str. Armeneasca 28/1, office 1, Chisinau MD-2012, Republic of Moldova, Europe

ISBN: 978-620-6-94112-5

DEDICATION

Meinen lieben Eltern, Werebesi Powder und Julia Acho, beide seligen Andenkens

DANKSAGUNGEN

Die vorliegende Arbeit konnte dank bedeutender Beiträge aus verschiedenen Blickwinkeln erfolgreich abgeschlossen werden. Mein tief empfundener Dank gilt meinen Betreuern, Dr. Suh Joseph Che und Frau Thérèse Priso, die trotz ihres vollen Terminkalenders Zeit fanden, das Manuskript zu lesen und wertvolle Vorschläge zur Verbesserung der Qualität der Arbeit zu machen. Mein besonderer Dank gilt auch Herrn Wanchia Titus, der immer zur Verfügung stand und bereit war, mich anzuleiten, Vorschläge zu machen, nützliche Beiträge zu leisten und Korrekturen vorzunehmen, um den Erfolg der Arbeit zu gewährleisten. Meine tiefe Dankbarkeit gilt auch der Universität von Buea, die mir den Zugang zu ihrer Bibliothek ermöglichte: Wumne-Nyuy, Kernyuy, Luther Jr. und Fomonyuy, dafür, dass sie meine regelmäßige Abwesenheit von zu Hause wegen des Studiums ertragen haben, und für ihre unermüdlichen Gebete. Meine Schwester Julie Echick und mein Bruder Werebesi Esau möchte ich nicht unerwähnt lassen, und mein Dank gilt auch allen Personen, die ich im Rahmen dieser Studie befragt habe. Meine besondere Wertschätzung gilt auch meinen Klassenkameraden, mit denen wir zwei Jahre lang den Sturm überstanden haben, insbesondere Sylvanus Ewi Akwa, der diese Arbeit Korrektur gelesen hat. Der Druck dieser Arbeit ist Ochie Bridget zu verdanken. Schließlich bin ich auch allen anderen Personen zu Dank verpflichtet, die mich im Laufe dieser Forschungsarbeit intellektuell, materiell und moralisch unterstützt haben.

ABSTRACT

Diese Arbeit untersucht die Herausforderungen, die mit dem Dolmetschen aus dem Englischen (einer Sprache der breiteren Kommunikation) in das Moghamo (eine Sprache der engeren Kommunikation) verbunden sind. Zu diesem Zweck wurden die Geschichte und Praxis des Dolmetschens im Moghamo-Land, die Autoren und die Gründe für diese Tätigkeit untersucht. Die Daten wurden aus verschiedenen Quellen zusammengetragen, insbesondere aus Interviews mit natürlichen Dolmetschern, mit Personen, die für das Dolmetschen zuständig sind, und mit Empfängern des Dolmetschens. Auch die Aufzeichnung von gedolmetschten Predigten wurde zur Datenerhebung herangezogen. Aus den Ergebnissen der Analyse ging hervor, dass das Dolmetschen aus dem Englischen ins Moghamo mit einer Reihe von Herausforderungen verbunden ist; die wichtigste ist das Vorhandensein einer Vielzahl englischer Lehnwörter im Moghamo. Obwohl diese Fülle von Lehnwörtern als negativ für die Moghamo-Sprache angesehen werden kann, wurde festgestellt, dass diese dank dieser Aktivität auf phonologischer, semantischer, morphologischer und lexikalischer Ebene bereichert wurde.

INHALTSVERZEICHNIS

LISTE DER ABKÜRZUNGEN

AU: African Union

AIDS: Acquired Immune Deficiency Syndrome

ASTI: Advanced School of Translators and Interpreters

EU: European Union

HIV: Human Immunodeficiency Virus

ICTs: Information and Communications Technologies

LLD(s): Language(s) of Limited Diffusion

LNC(s): Language(s) of Narrower Communication

LWD(s): Language(s) of Wider Diffusion

LWC(s): Language(s) of Communication

MOLCOM: Moghamo Language Committee

PC: Presbyterian Church

PCC: Presbyterian Church in Cameroon

SL: Source Language

TL: Target Language

UN: United Nations

UNESCO: Untied Nations Education, Scientific and Cultural Organisation

VOM: Voice of Moghamo (a Community Radio)

KAPITEL I

ALLGEMEIN EINFÜHRUNG

1.1 Hintergrund zu Problem

In seiner kolonialen Vergangenheit wurden in Kamerun zunächst Portugiesisch und Deutsch verwendet, bevor Englisch und Französisch die beiden offiziellen europäischen Importsprachen wurden, die heute in Kamerun verwendet werden. Hinzu kommen zwei weit verbreitete Verkehrssprachen wie Pidgin-Englisch und Camfranglais, die vor allem von der jungen Bevölkerung des Landes gesprochen werden. Nachdem sich die Kolonialsprachen etabliert hatten, spielten die Kolonialherren die Entwicklung der Nationalsprachen herunter und zogen die Verwendung ihrer Sprachen vor. Dennoch wurden manchmal Nationalsprachen verwendet, sofern die Interessen der Kolonialherren nicht gefährdet waren. Zuweilen wurden einige von ihnen aus religiösen und politischen Gründen entwickelt und standardisiert, wie im Fall von Duala und Mungaka, um nur einige zu nennen. Dies geschah zum Nachteil anderer Landessprachen, die im Allgemeinen in den Hintergrund gedrängt und von den Kolonialherren als "primitiv" betrachtet wurden. Infolgedessen haben sich bis heute nur sehr wenige kamerunische Sprachen, einschließlich Moghamo, sprachlich weiterentwickelt, was durch die sprachliche Situation Kameruns, das als Mikrokosmos Afrikas gilt, noch verschlimmert wird, da drei der vier Sprachstämme Afrikas dort vertreten sind. Kamerun ist in der Tat ein Schmelztiegel einer Vielzahl von Kolonial- und Nationalsprachen. Neben den offiziellen Sprachen (Französisch und Englisch) werden in Kamerun auch zwei Mischsprachen gesprochen: Pidgin English und Camfranglais. Darüber hinaus gibt Bitjaa Kody (2003), zitiert von Biloa (2004:1), an, dass in Kamerun mehr als 285 Nationalsprachen in Gebrauch sind. Es ist logisch, dass das Land Moghamo, das in der nordwestlichen Region Kameruns liegt, die Auswirkungen der historischen und sprachlichen Situation Kameruns zu spüren bekommt. Da Moghamo, wie viele andere Landessprachen, sprachlich noch in der Entwicklung begriffen ist, ist das Dolmetschen in oder aus Moghamo mitunter recht schwierig. Die Herausforderungen variieren je nach dem Bereich, in den bzw. aus dem gedolmetscht wird, zumal Moghamo eine Sprache der engeren Kommunikation (LNC) im Vergleich zum Englischen ist, einer Sprache der weiteren Kommunikation (LWC). Vor diesem Hintergrund ist die vorliegende Studie entstanden. Nach der Beschreibung des Hintergrunds ist es wichtig, das Problem zu formulieren.

1.2 Problemstellung

Wenn man Gottesdiensten und Gerichtssitzungen im Moghamo-Land beiwohnt, stellt man fest, dass das Dolmetschen oder die mündliche Übersetzung in Moghamo mit zahlreichen Lehnwörtern aus den Kolonialsprachen gefüllt ist: Französisch und Englisch sowie Pidgin-Englisch. Dies gilt auch für andere Versammlungen, bei denen die Moghamo-Elite aufgefordert wird, sich in der Muttersprache an das Publikum zu wenden. Manchmal fragt man sich, ob diese Vielzahl von Fremdwörtern Moghamo nicht in eine Mischsprache oder ein Pidgin-Moghamo verwandeln wird. Aus einer solchen Situation ergeben sich eine Reihe von Fragen:

1- Was steht auf dem Spiel, wenn aus einer breiteren Kommunikationssprache wie dem Englischen in eine engere Kommunikationssprache wie Moghamo gedolmetscht wird?
2- Wer sind die Akteure oder Autoren solcher Interpretationen? Welchen Hintergrund oder welchen Ausbildungsstand haben sie?
3- Wie treu sind sie bei der Übertragung der Botschaft vom Englischen ins Moghamo?
4- Wie kommt es zu den zahlreichen Lehnwörtern im Moghamo? Liegt es daran, dass es im Moghamo nicht genügend Vokabular gibt, um Begriffe auszudrücken, die in der Ausgangssprache leicht zu verstehen sind?
5- Welche Auswirkungen hat ein solcher Zustand auf das Schicksal von Moghamo? Kurz gesagt, ist es eine Quelle des Unterhalts oder des Schadens für Moghamo, oder beides?

6- Wie sind die Aussichten für Moghamo oder wie geht es weiter?

1.3 Ziele der Studie

Die Ziele der Studie sind in zwei Teile unterteilt: allgemeine Ziele und spezifische Ziele.

1.3.1 Allgemein Zielsetzung

Untersuchung der Herausforderungen, die mit dem Dolmetschen aus einer breiteren Kommunikationssprache (Englisch) in eine engere Kommunikationssprache (Moghamo) verbunden sind.

1.3.2 Spezifische Zielsetzungen

1- Identifizierung der Akteure der Dolmetschertätigkeit im Moghamo-Land.
2 - Feststellen, wo, wie und unter welchen Umständen sie dolmetschen.
3- ihren Hintergrund, ihr Bildungsniveau und ihre Ausbildung zu ermitteln.
4- Angabe der Schwierigkeiten, mit denen sie bei der Erfüllung ihrer Aufgabe als Dolmetscher konfrontiert sind.
5- Bewertung der Auswirkungen auf die effektive Kommunikation im Moghamo-Kontext
6- Aufzeigen der Auswirkungen ihrer Verdolmetschung auf die Moghamo-Sprache und die Rezeptoren der Verdolmetschung.

1.4 Hypothese

In Anbetracht der oben genannten Problematik wird in dieser Studie die Hypothese aufgestellt, dass eine Sprache wie Englisch/Pidgin-Englisch nur dann angemessen und problemlos in eine engere Kommunikationssprache wie Moghamo gedolmetscht werden kann, wenn diese Sprache sprachlich angemessen entwickelt ist. Wird dies vernachlässigt, wird ein Dolmetscher, der aus einer LWC-Sprache ins Moghamo dolmetscht, immer vor Herausforderungen stehen.

1.5 Methodik

Unter Methodik werden folgende Aspekte untersucht: Forschungsdesign oder -ansatz, Variablen, kontextueller Rahmen, konzeptioneller Rahmen, Verfahrensrahmen, Werkzeuge oder Instrumente, Datenerhebung und Datenanalyse.

1.5.1 Forschung Ansatz

In dieser Untersuchung wird hauptsächlich ein qualitativer Ansatz verfolgt. Dies beinhaltet eine ganzheitliche Untersuchung zur Datenerfassung. Wie bereits oben erwähnt, wird ein qualitativer Ansatz zur Analyse der gesammelten Daten verwendet. Mit diesem Ansatz werden die aufgezeichneten Predigten, Reden, Interviews und Dialoge beschrieben, mit dem Ziel, die Hürden beim Dolmetschen aus dem Englischen ins Moghamo zu ermitteln, wobei der Schwerpunkt auf den Worten und nicht auf den Zahlen liegt. Die Betonung des Wortes schließt nicht aus, dass von Zeit zu Zeit auch Zahlen verwendet werden.

1.5.2 Forschung Instrumente

Die verwendeten Forschungsinstrumente sind Interviews, Diskussionen und teilnehmende Beobachtung. Diese Instrumente ermöglichen es dem Forscher, die erforderlichen Informationen zu sammeln, um festzustellen, was in der Praxis in Bezug auf das Dolmetschen von einer LWC in eine LNC tatsächlich vorherrscht.

1.5.3 Daten Sammlung

Da es sich beim Dolmetschen um eine rein mündliche Tätigkeit handelt, beschränkt sich diese Arbeit auf die Aufzeichnung von mündlichen Predigten und deren Verdolmetschung ins Moghamo in

Kirchen und/oder Gerichten, von Reden bei Versammlungen einiger Eliten und von Gesprächen mit einigen Moghamo-Leuten. Die Empfänger der gedolmetschten Botschaften werden ebenfalls befragt. Einzelheiten zu den Forschungsinstrumenten, der Datenerhebung und den Analysemethoden werden in Abschnitt 3.2 beschrieben.

1.5.4 Daten Analyse

Nach der Erfassung der Daten werden diese mit einem qualitativen Ansatz analysiert. Dazu werden die aufgezeichneten Predigten und/oder Reden angehört und einige Teile übersetzt. Auch die Interviews werden untersucht. All dies zielt darauf ab, die Herausforderungen beim Dolmetschen aus einer LWD in eine LNC zu ermitteln.

1.5.5 Variablen

Nach eingehender Untersuchung des Themas heben sich zwei Hauptvariablen deutlich ab: Sprachen der breiteren Kommunikation (LWC) und Sprachen der engeren Kommunikation (LNC). Beide Variablen korrelieren insofern, als das Dolmetschen aus dem Englischen, einer LWC, ins Moghamo, eine LNC, eine ziemliche Herausforderung darstellt, da letztere nicht so weit entwickelt ist wie erstere.

1.5.6 Kontextueller Rahmen

Obwohl jede Sprache unabhängig und verständlich sein soll, ist Moghamo, dessen Entwicklung seit der Kolonialzeit eingestellt wurde, wahrscheinlich nicht kompatibel, wenn eine Nachricht aus einer hoch entwickelten Sprache wie Englisch in diese Sprache übertragen wird. Angesichts dieses offensichtlichen Kompatibilitätsproblems zwischen einem LWC und einem LNC muss untersucht werden, wie machbar, wie möglich oder wie einfach es ist, aus der ersteren Sprache in die letztere zu dolmetschen. Verschärft wird die Situation durch die staatlich verordnete offizielle Zweisprachigkeit und die Sprachenpolitik in Kamerun, die seit der Kolonialzeit und in der Nachkriegszeit die Entwicklung der Nationalsprachen zugunsten der westlichen Sprachen benachteiligt. Darunter leidet zwangsläufig auch Moghamo, woraus sich der Sinn dieser Forschungsarbeit ergibt. In Anbetracht dieser Situation stellen sich mehrere Fragen: Wie einfach ist es für Sprecher einer LNC wie Moghamo, Zugang zu Informationen über fortschrittliche Technologien zu erhalten, wie es für Englischsprecher der Fall ist? Oder wie einfach oder schwierig ist es, mündlich vom Englischen ins Moghamo zu übersetzen oder zu dolmetschen?

1.5.7 Konzeptioneller Rahmen

An dieser Stelle ist es zweckmäßig, einige Schlüsselbegriffe zu bestimmen und zu definieren, um jede Form von Unklarheit in Bezug auf ihre Verwendung in dieser Arbeit zu beseitigen. Aus dem Wortlaut des Themas gehen vier Begriffe klar hervor, nämlich Dolmetschen, Sprache der breiteren Kommunikation, Sprache der engeren Kommunikation und Moghamo. Diese Begriffe sind insofern miteinander verknüpft, als im Thema vom Dolmetschen die Rede ist, das immer von einer Sprache (Englisch) in eine andere (Moghamo) erfolgt, wobei es sich bei beiden um eine LWC bzw. LNC handelt.

1.5.7.1 Dolmetschen

Zunächst einmal wird der Begriff Dolmetschen häufig als "mündliche Übersetzung einer gesprochenen Nachricht oder eines Textes" (Shuttleworth 1997:83) verwendet. Wie das Übersetzen dient es der Überbrückung einer Kommunikationslücke, die dadurch entsteht, dass eine der beiden an einer Sitzung teilnehmenden Parteien die andere nicht verstehen kann. Mit anderen Worten, es geht darum, eine mündliche Mitteilung in einer Sprache zu hören und sie dann in eine andere mündliche Mitteilung in einer anderen Sprache umzuwandeln. Es sollte gleich zu Beginn betont werden, dass Dolmetschen und

Übersetzen im Allgemeinen von vielen Menschen mit demselben Begriff verwechselt werden. In der Tat unterscheiden sich beide Berufe. Kurz gesagt besteht das Dolmetschen darin, eine gesprochene Sprache in eine mündliche oder gebärdete Sprache zu übertragen, während das Übersetzen schriftlich erfolgen muss. Auf diese eng verwandten Begriffe soll im zweiten Kapitel dieser Studie näher eingegangen werden.

1.5.7.2 Sprache der breiteren Kommunikation

Eine Sprache der erweiterten Kommunikation (LWC) ist eine Sprache, die von den Menschen üblicherweise verwendet wird, um über Sprachen und kulturelle Barrieren hinweg zu kommunizieren. Nach Bamgbose (1991:56) sollte eine LWC die Sprache sein, die ein "Vehikel für Wissenschaft und Technologie" ist. Zu den Sprachen der breiteren Kommunikation gehören Englisch, Französisch, Spanisch und sogar das auf Englisch basierende Pidgin, wie man es in Kamerun und Nigeria findet. Sie wird im Allgemeinen auf internationaler Ebene verwendet. Infolgedessen neigen viele Regierungen dazu, die einheimischen Sprachen in den Hintergrund zu drängen oder sie sogar aufzugeben. LWCs werden auch als Sprachen mit größerer Verbreitung bezeichnet (Nama 1990:356-369).

1.5.7.3 Sprache der engeren Kommunikation

Bamgbose (1991:20) ist der Ansicht, dass der Begriff LWC die Existenz von Sprachen der engeren Kommunikation (LNCs) voraussetzt. Dies bezieht sich auf Sprachen, die nicht weit verbreitet sind, um über Sprach- oder Kulturgrenzen hinweg zu kommunizieren. Diese Sprachen werden in kleineren Kreisen oder Gemeinschaften verwendet und sind im Vergleich zu den LWCs weit weniger entwickelt. Laut Nama (ebd.) werden alle kamerunischen Sprachen, in die Dr. Vielhauer und Eliza Ndifon, Rev. Joseph Merrick und Rev. Alfred Saker und viele andere die Bibel übersetzt haben, von der FIT (International Federation of Translators) allgemein als LWDs

(Languages of Limited Diffusion) bezeichnet. Dies bedeutet also, dass die LNCs von einigen Autoren auch als LLDs bezeichnet werden. Aufgrund der beiden oben genannten Bezeichnungen LWCs/LWDs und LNCs/LLDs muss gleich zu Beginn klargestellt werden, dass im Rahmen dieser Arbeit nicht beide Bezeichnungen verwendet werden. Dieser Forscher hat sich für LWCs und LNCs entschieden, weil er der Meinung ist, dass das Wort Diffusion französisch riecht. In einem angelsächsischen Kontext wie dem unseren sollte die Wahl des Wortes Kommunikation besser sein als das Wort Diffusion. Weitere Einzelheiten über Sprachen der breiteren Kommunikation und Sprachen der engeren Kommunikation werden im zweiten Kapitel dieses Forschungsprojekts behandelt.

1.5.7.4 Moghamo

Moghamo ist ein Clan, der Teil der ethnischen Gruppe der Widikum ist. Administrativ befindet er sich in der Batibo Subdivision in der Momo Division in der Nord-West Region von Kamerun. Moghamo hat drei verschiedene Bedeutungen:

1) Die von den Bewohnern dieses Gebiets gesprochene Sprache;

2) Das Volk wird auch Moghamoaner genannt;
3) Das geografische Gebiet, in dem die Moghamoaner leben.

Wenn in diesem Werk das Wort Moghamo verwendet wird, bezieht es sich entweder auf das Land oder auf ihre Sprache. Andere Bezeichnungen wie Batibo und Moghamo-Land werden ebenfalls verwendet, um das Moghamo-Land zu bezeichnen. Anhand der oben genannten und definierten Begriffe wird die Wechselbeziehung zwischen Dolmetschen, LWCs, LNCs und Moghamo deutlich. Das Hauptziel des Dolmetschens besteht darin, eine Botschaft zu vermitteln. Diese Kommunikation kann nur dank der Sprachen möglich sein. Dies ist der Fall bei Englisch und Moghamo, die in dieser Arbeit untersucht werden.

1.5.8 Theoretischer Rahmen

Es wird versucht, die auf diese Studie anwendbaren Theorien herauszustellen: Kultur-, Kommunikations- und Übersetzungstheorien. Neben diesen Theorien wird auch die sprachliche Distanz, die ein wichtiger Aspekt des Übersetzens und Dolmetschens ist, erörtert. Die sekundenschnelle mentale Aktivität des Gehirns eines Dolmetschers rechtfertigt die Untersuchung von Theorien, die sich auf die oben genannten vier Aspekte beziehen. Eine ausführliche Untersuchung dieser Aspekte erfolgt im Anschluss an diese Arbeit unter dem theoretischen und verfahrenstechnischen Rahmen in Kapitel drei dieser Arbeit.

1.5.9 Verfahrensrechtlicher Rahmen

Dieser Abschnitt befasst sich mit dem Verfahren zur Datenerhebung und -analyse. Er beschreibt auch die verwendeten Forschungsinstrumente, die Informanten und die Orte, an denen die Daten vor ihrer Analyse erhoben wurden.

1.6 Umfang der Studie

Es ist eine bekannte Tatsache, dass einige Sprachen wie Englisch, Französisch, Russisch und Portugiesisch sprachlich hoch entwickelt sind, während andere, wie die meisten afrikanischen Sprachen, sprachlich unterentwickelt sind. Daher ist das Dolmetschen aus der einen in die andere Sprache wahrscheinlich mit einer Reihe von Herausforderungen verbunden. Da jede Forschungsarbeit begrenzt sein muss, beschränkt sich diese Studie darauf, den Grad der effektiven Kommunikation und die Herausforderungen zu untersuchen, die mit dem Dolmetschen aus einer Sprache der breiteren Kommunikation wie Englisch/Pidgin-Englisch in eine Sprache der engeren Kommunikation wie Moghamo verbunden sind.

1.7 Bedeutung der Studie

Sie soll das Bewusstsein für die Herausforderungen schärfen, die mit dem Dolmetschen aus LWCs in eine LNC wie Moghamo verbunden sind. Auf diese Weise werden die kamerunischen Sprachentwickler und Interessenvertreter dringende Maßnahmen ergreifen, bevor die einheimischen Sprachen zugunsten von "Prestigesprachen" aufgegeben werden. Dies ist auch ein bescheidener Beitrag zur Erhaltung der Moghamo-Sprache, die aufgrund der hohen Landflucht, der Alphabetisierung, der Eheschließungen zwischen den Stämmen und der kulturellen Entfremdung schnell ausstirbt. Vor allem aber muss die noch zu entwickelnde oder zu dokumentierende Moghamo-Sprache so schnell wie möglich bewahrt werden, bevor die wenigen noch lebenden weisen Männer und Frauen aussterben. Mit anderen Worten: Es geht darum, die geliebte Moghamo-Sprache zu bewahren, deren Hauptziel es ist, dass das Dolmetschen in ihr problemlos möglich ist.

1.8 Aufbau der Arbeit

Dieses Werk ist in sechs Kapitel unterteilt. Sie beginnt mit einer allgemeinen Einleitung, die an die Stelle von Kapitel 1 tritt. Dieses Kapitel bietet eine allgemeine Einführung, die den Hintergrund des Problems, die Problemstellung, die Ziele, die Hypothese, die Methodik, die Bedeutung, den Umfang und die Struktur der Arbeit umfasst.Kapitel 2 folgt mit einer Übersicht über die einschlägige Literatur, in der der historische, geografische und sprachliche Rahmen von Moghamo untersucht wird. Außerdem werden das Dolmetschen und seine verschiedenen Arten definiert, wobei der Unterschied zwischen diesem Konzept und dem Übersetzen klar herausgestellt wird. Auch die Dolmetschtechniken werden erläutert. In diesem Kapitel wird auch zwischen Sprachen mit weiter Verbreitung oder LWCs und LNCs unterschieden, die auch als Sprachen mit begrenzter Kommunikation bekannt sind.
Kapitel 3 konzentriert sich auf die Untersuchung des methodischen

und verfahrenstechnischen Rahmens dieser Studie.Kapitel 5 legt den Schwerpunkt auf die Interpretation von LWC in eine LNC. Es gliedert sich in zwei Hauptteile. Der erste Teil befasst sich mit der Geschichte und Praxis des Dolmetschens in Moghamo von der vorkolonialen Zeit bis heute sowie mit den Arten und Formen des Dolmetschens, die hier praktiziert werden. Der zweite Teil behandelt das Dolmetschen aus einer LWC in eine LNC: der Fall des Englischen und Moghamo. Darüber hinaus wird eine Bestandsaufnahme einiger Lehnwörter in Moghamo vorgenommen und versucht, deren mögliche Entsprechungen zu ermitteln. Vor der Bestandsaufnahme der entlehnten Wörter (lexikalische Elemente) werden andere linguistische Aspekte wie Phonologie, Semantik und Morphologie untersucht. Darüber hinaus werden Perspektiven und mögliche Lösungen aufgezeigt, um die Vielzahl der fremden Elemente, die beim Sprechen oder Dolmetschen in Moghamo auftreten, einzudämmen. Das letzte Kapitel enthält eine allgemeine Schlussfolgerung, die die Arbeit zusammenfasst, eine Synthese der gewonnenen Erkenntnisse vornimmt, Empfehlungen ausspricht, auf Schwierigkeiten hinweist und Vorschläge für weitere Forschungen macht.Nach der allgemeinen Einführung in diese Arbeit konzentriert sich das nächste Kapitel auf eine Übersicht über die einschlägige Literatur mit dem Ziel, herauszufinden, was frühere Dolmetscher bereits über das Dolmetschen, LWCs und LNCs geschrieben haben.

KAPITEL II

ÜBERPRÜFUNG DER EINSCHLÄGIGEN LITERATUR

2.0 Einführung

Dieses Kapitel konzentriert sich auf die Auswertung der Literatur zum Thema Dolmetschen und Sprachen der breiteren Kommunikation und Sprachen der engeren Kommunikation. Außerdem werden verfügbare Informationen über die Sprachenpolitik Kameruns hervorgehoben.

2.1 Definition von Dolmetschen

Es besteht allgemein Einigkeit darüber, dass das Dolmetschen eine Tätigkeit ist, die älter ist als das schriftliche Übersetzen, und seine Geschichte ist nicht gut dokumentiert. Christensen (1986:14) definiert das Dolmetschen als "eine ganzheitliche Form der Kommunikation, bei der Fakten mit Gefühlen verschmolzen werden, um Menschen sowohl emotional als auch intellektuell zu berühren. Felddolmetscher sind die Menschen, die sich auf diesen schwierigen Prozess einlassen". Obwohl die obige Definition die Tatsache unterstreicht, dass Kommunikation das Wesen des Dolmetschens ist und dass die Praxis selbst eine schwierige Aufgabe darstellt, betont sie nicht die Mündlichkeit der Botschaft oder den Übergang von einer mündlichen Botschaft zu einer anderen mündlichen Botschaft.Shuttleworth (1997:83) seinerseits verdeutlicht diesen Punkt, wenn er postuliert, dass Dolmetschen oft als "mündliche Übersetzung einer gesprochenen Botschaft oder eines Textes" bezeichnet wird. Diese Idee wird von Phelan (2001:6) weiter vereinfacht, wenn sie feststellt, dass Dolmetschen stattfindet, wenn eine Person mündlich übersetzt, was sie hört, in eine andere Sprache. Die Mündlichkeit der Botschaft oder Kommunikation ist der Schlüssel zum Dolmetschen. Wie bereits im ersten Kapitel dieser Arbeit erwähnt, verwechseln viele Menschen oft Dolmetschen und Übersetzen. Was ist der Unterschied zwischen beiden Konzepten?

2.1.1 Der Unterschied zwischen Dolmetschen und Übersetzung

Im Allgemeinen gehen viele Nichtfachleute leichtfertig davon aus, dass jemand, der zweisprachig ist, auch ein Übersetzer sein kann. Für diese Leute ist eine Person, die einmal Übersetzer ist, automatisch auch in der Lage zu dolmetschen. Das ist bei weitem nicht der Fall. Wie bereits erwähnt, ist der Unterschied zwischen den beiden Begriffen ganz einfach: Ersterer wird immer gesprochen, letzterer wird aufgeschrieben. Oder wie Nilski (1967:45) es ausdrückt: Übersetzen ist die schriftliche Übertragung von Texten, während Dolmetschen die mündliche Übertragung von gesprochenen Nachrichten ist. Es sei jedoch darauf hingewiesen, dass ein schriftlicher Text in eine mündliche Nachricht umgewandelt werden kann. In einem solchen Fall spricht man von einer Sichtübersetzung. Um die gewöhnliche Übersetzung von der Sichtübersetzung zu unterscheiden, bezeichnen einige Wissenschaftler die erste als "schriftliche Übersetzung" und die zweite als "mündliche Übersetzung".

2.1.2 Unterscheidung zwischen Dolmetschen und Dolmetschen

In vielen Dolmetscherbüchern bzw. -dokumenten wird nur wenig oder gar nicht auf den Unterschied zwischen Dolmetschen und Interpretieren eingegangen. Kurz gesagt, beides bedeutet in den meisten dieser Bücher dasselbe. Es gibt jedoch einen kleinen Unterschied zwischen ihnen. Tatsächlich bedeutet "Dolmetschen" "Entschlüsselung und Versuch, das Verständnis der Bedeutungen und Absichten des Sprechers zu vermitteln" (Morris 1995:27 zitiert nach Shuttleworth 1997:33).

Wie bereits erwähnt, handelt es sich beim Dolmetschen um die mündliche Übersetzung einer mündlichen oder schriftlichen Botschaft in eine andere mündliche Sprache, ohne dass dabei versucht wird, das eigene Verständnis der Bedeutung oder der Absichten des Sprechers zu vermitteln. Mit anderen Worten, die Gefühle oder persönlichen Meinungen des Dolmetschers sind beim Dolmetschen nicht erlaubt.

2.2 Modi von Dolmetschen

Es lassen sich verschiedene Arten und Typen des Dolmetschens unterscheiden, je nach dem Kontext, in dem sie stattfinden, z. B. Gemeinschaftsdolmetschen, oder der Art und Weise, wie sie ausgeführt werden, z. B. Konsekutivdolmetschen. Dennoch ist es offensichtlich, dass sich einige dieser Kategorien überschneiden (Shuttleworth 1997:84). Nach Seleskovitch (1978:3) gibt es zwei Hauptarten des Dolmetschens: Konsekutiv- und Simultandolmetschen. Neben diesen beiden gibt es vier weitere, nämlich Flüsterdolmetschen, Relaisdolmetschen, Verbindungsdolmetschen und Sichtdolmetschen. In dieser Studie werden die einzelnen Arten aus der Vogelperspektive betrachtet.

2.2.1 Konsekutivdolmetschen

Das Konsekutivdolmetschen ist die älteste der sechs oben genannten Formen. Beim Konsekutivdolmetschen hört der Dolmetscher einer Rede zu und macht sich dabei Notizen. Sobald der Redner fertig ist oder aufhört zu sprechen, steht der Dolmetscher auf und trägt die Rede in der Muttersprache vor. Heutzutage können Reden bis zu fünfzehn Minuten dauern, während in der Vergangenheit dreißig Minuten oder mehr nicht ungewöhnlich waren. Nach Phelan (2001:9) ist das Anfertigen von Notizen von zentraler Bedeutung für das Konsekutivdolmetschen. Jeder praktizierende Dolmetscher entwickelt seine eigenen Techniken für das Notieren. Einige verwenden eine große Anzahl von Symbolen, während andere kaum welche verwenden.
Die Notizen des einen Dolmetschers wären für einen anderen Leser wahrscheinlich völlig unverständlich. Bei internationalen Sitzungen oder Konferenzen wird das Konsekutivdolmetschen nur dann eingesetzt, wenn das Simultandolmetschen nicht verwendet werden kann. Diese Art des Dolmetschens, die ihre Blütezeit beim Völkerbund und später beim Sicherheitsrat der Vereinten Nationen erlebte, ist relativ selten geworden. Seleskovitch sagt weiter, dass nur

noch 10 % des Konsekutivdolmetschens praktiziert wird, und zwar hauptsächlich bei Konferenzen und Seminaren mit nur zwei Sprachen.

2.2.2 Simultandolmetschen

Das Simultandolmetschen ist nach dem Konsekutivdolmetschen die zweite wichtige Art des Dolmetschens. Bei dieser Art des Dolmetschens hört der Zuhörer die Verdolmetschung zur gleichen Zeit, in der die Rede gehalten wird. Das bedeutet, dass der Dolmetscher die Rede in der Ausgangssprache hört und sie fast zeitgleich mit der Rede in der Zielsprache neu formuliert. Beim Simultandolmetschen agiert der Dolmetscher als eine Art unsichtbares Wesen, das in der Kabine sitzt und mit Kopfhörern und einem Mikrofon arbeitet, die für das eigentliche Simultandolmetschen erforderlich sind. Die Anfänge des Simultandolmetschens liegen in der Zeit nach dem Zweiten Weltkrieg. Tatsächlich wurde diese Art des Dolmetschens erstmals bei den Nürnberger Prozessen nach dem Ende des Zweiten Weltkriegs eingesetzt. Seitdem hat sie sich in allen Bereichen durchgesetzt. Es gibt kaum eine internationale Organisation (UNO, UNESCO, AU, EU) und einen im Fernsehen übertragenen Prozess, bei dem nicht simultan gedolmetscht wird. Unzählige nichtstaatliche Konferenzen und Versammlungen nutzen es ebenfalls. Shuttleworth (1997:155) zufolge gehen Dolmetscher entgegen der landläufigen Meinung im Allgemeinen erst dann an die Aufgabe heran, wenn sie vor Beginn des Dolmetschens zumindest die Möglichkeit hatten, einige Dokumente durchzusehen. Dies bedeutet jedoch nicht, dass die Aufgabe reibungslos abläuft. Es gibt natürlich Herausforderungen verschiedener Dimensionen: das vom Redner diktierte Tempo, kein Rückgriff auf kleine Textabschnitte, fehlendes allgemeines oder spezielles Wissen, das vom Redner erwartet wird, und Verzögerung der Antwort, um mehr Zeit zum Nachdenken zu gewinnen. Trotz dieser Hindernisse wird von den Dolmetschern erwartet, dass sie professionelle Techniken anwenden, um ihnen zu trotzen und weiterzumachen.

2.2.3 Flüsterdolmetschen

Es ist die dritte Form des Dolmetschens, bei der der Dolmetscher neben dem Kunden oder Delegierten sitzt, für den er dolmetscht, und die gedolmetschte Version des Gesagten flüstert. Phelan (2001:2) postuliert jedoch, dass die meisten in dieser Situation mit leiser Stimme sprechen und nicht flüstern. Das Flüstern ist in verschiedenen Situationen üblich, z. B. bei Geschäftsbesprechungen, Konferenzen, Staatsbanketten und Gerichtsverhandlungen. Es wird in der Regel gleichzeitig, gelegentlich aber auch nacheinander durchgeführt (Mackintosh 1995:125 zitiert nach Shuttleworth 1997:197). Dennoch entspricht es nicht dem eigentlichen Simultandolmetschen, da der Dolmetscher nicht in einer Kabine arbeitet.

2.2.4 Relais-Dolmetschen

Nach Seleskovitch und Lederer (1989:1999), zitiert von Shuttleworth (1997:142), bezeichnet Relaisdolmetschen das Dolmetschen zwischen zwei (in der Regel weniger verbreiteten) Sprachen über eine dritte Vermittlungssprache. Diese Form des Dolmetschens, wie sie beim Konferenzdolmetschen vorkommt, ist notwendig, wenn kein einzelner Dolmetscher anwesend ist, der sowohl in der Ausgangs- als auch in der Zielsprache dolmetschen kann. Bei einer Konferenz, an der englische, französische, griechische und dänische Delegierte teilnehmen, ist es beispielsweise nur möglich, die dänischen Reden für die griechischen Delegierten zu dolmetschen, indem sie zunächst ins Englische oder Französische gedolmetscht werden. In einer solchen Situation hat der zweite Dolmetscher keinen direkten Zugang zu den kommunikativen Merkmalen der ursprünglichen spontanen Rede des Redners und ist wahrscheinlich nicht mit der Kultur der Ausgangssprache vertraut. Daher kann er nur aus dem Englischen oder Französischen dolmetschen, um die griechischen Delegierten über die Beratungen der Sitzung auf dem Laufenden zu halten. Erwähnenswert ist auch die Tatsache, dass das Relaisdolmetschen ebenfalls mit Herausforderungen verbunden ist. Jones (2002:122) postuliert, dass ein Dolmetscher, der als Relaisdolmetscher fungiert, unter Umständen arbeitet, die berücksichtigt werden müssen. Sie arbeiten nicht nur direkt für das Publikum, sondern ihre Verdolmetschung muss auch als Ausgangstext für einen oder mehrere Kollegen dienen. Ihre Verdolmetschung muss gut genug sein, um als Ausgangstext zu dienen.

2.2.5 Verhandlungsdolmetschen oder bilaterales Dolmetschen

Keith (1985:1), zitiert von Shuttleworth (1997:93), definiert es als eine Form des Dolmetschens, bei der "eine Person, die zwei Sprachen spricht, in einem Gespräch zwischen zwei Personen vermittelt, die nicht die 'Sprache' des anderen sprechen".
Obwohl es am engsten mit dem Kommunaldolmetschen verbunden ist, wird das Verhandlungsdolmetschen in jedem kleineren Rahmen eingesetzt, z. B. bei Geschäftstreffen, offiziellen Besuchen oder informellen Gesprächen. Verhandlungsdolmetschen ist bidirektional und wird normalerweise Satz für Satz konsekutiv ausgeführt. Es handelt sich jedoch nicht um ein Konsekutivdolmetschen im eigentlichen Sinne, da dieser Begriff im Allgemeinen für ein genauer definiertes Verfahren reserviert ist, bei dem auch Notizen gemacht werden. Die Praxis des Verhandlungsdolmetschens ist wahrscheinlich in allen mehrsprachigen Gesellschaften anzutreffen. In Anlehnung an Ozolins (1995:154) stellt Shuttleworth (ebd.) fest, dass dieser Beruf noch in den Kinderschuhen steckt und häufig von jedem ausgeübt wird, der zufällig die beiden betreffenden Sprachen beherrscht, in einigen Fällen sogar von einem Familienmitglied einer der an einer Verhandlung beteiligten Parteien.

2.2.6 Sight Translation

Beim Sichtdolmetschen werden die Dolmetscher in der Regel gebeten, Dokumente laut zu lesen und zu übersetzen. Dies kann in verschiedenen Situationen geschehen: bei geschäftlichen Besprechungen, um bestimmte Unterlagen zu übersetzen, und beim Gerichtsdolmetschen, um juristische Dokumente zu übersetzen. Sollten die Dolmetscher vor der lauten oder mündlichen Übersetzung

Zeit benötigen, um das Dokument im Detail zu lesen, sollten sie nicht zögern, diese Zeit zu beantragen.

2.3 Arten des Dolmetschens

Wie bereits erwähnt, hängt die Art des Dolmetschens mit dem Kontext zusammen, in dem das Dolmetschen stattfindet. Je nach Kontext gibt es viele Arten: Konferenzdolmetschen, Gerichtsdolmetschen, Gemeindedolmetschen, medizinisches Dolmetschen, Gebärdensprachdolmetschen, Telefondolmetschen, Fernsehdolmetschen, Videokonferenzdolmetschen, Abhören und Tonbandabschrift.

2.3.1Konferenzdolmetschen

Der Begriff Konferenzdolmetschen bezieht sich auf den Einsatz von Konsekutiv- oder Simultandolmetschen bei einer Konferenz oder Sitzung. Genauer gesagt handelt es sich um eine Form des Dolmetschens, die bei internationalen Konferenzen sowie bei hochkarätigen Veranstaltungen wie Vorträgen, Fernsehsendungen oder Gipfeltreffen von Organisationen zum Einsatz kommt. Heutzutage ist das Simultandolmetschen weitaus verbreiteter als das Konsekutivdolmetschen und wird fast ausschließlich bei internationalen Konferenzen eingesetzt. Obwohl das Simultandolmetschen bei internationalen Konferenzen am häufigsten zum Einsatz kommt, wird gelegentlich auch Flüsterdolmetschen angefordert.
Beim Konferenzdolmetschen werden die Sprachen in drei Kategorien eingeteilt: A-, B- und C-Sprachen. A"-Sprachen, auch Aktivsprachen genannt, sind Sprachen, die die Dolmetscher wie ihre Muttersprache beherrschen und in denen sie sowohl arbeiten als auch dolmetschen. B-Sprachen, auch Passivsprachen genannt, sind Sprachen, die der Dolmetscher fast wie eine Muttersprache beherrscht und in die er auch dolmetschen soll. C-Sprachen schließlich sind Sprachen, aus denen Dolmetscher nur dolmetschen können (Gile 1995a:209, zitiert von Shuttleworth 1997:27). Die Geschichte des

Konferenzdolmetschens ist relativ jung, erst seit achtzig Jahren gibt es sie. Dennoch hat es sich erst nach der Entwicklung des Simultandolmetschens und der damit verbundenen Technologie als eigenständige Dolmetschkategorie durchgesetzt. Obwohl es relativ jung ist, ist es "die prestigeträchtigste Form des Dolmetschens und die finanziell lohnendste" (Phelan 2001:6).

2.3.2 Gerichtsdolmetschen

Dies ist eine weitere Art des Dolmetschens, die durch den Kontext, in dem sie stattfindet, definiert wird. Obwohl der Begriff in der Regel das Dolmetschen im Gerichtssaal bezeichnet, umfasst er auch die Tätigkeit des Dolmetschers in anderen juristischen Umgebungen: im Gefängnis oder auf der Polizeiwache. Der Kunde ist in der Regel der Angeklagte oder der Zeuge und gehört im Allgemeinen einer Einwanderergemeinschaft an.Das Hauptziel des Gerichtsdolmetschens besteht darin, dem Klienten die Teilnahme am Verfahren zu ermöglichen.

Ein solches Dolmetschen muss in beide Richtungen erfolgen.Gerichtsdolmetschen ist in der Regel Konsekutivdolmetschen oder Verhandlungsdolmetschen, obwohl auch andere Formen wie Simultandolmetschen bei Fernsehübertragungen und Flüsterdolmetschen - eingesetzt werden können. Gemäß dem Ehrenkodex sind Verschwiegenheit und Unparteilichkeit für Gerichtsdolmetscher eine unabdingbare Voraussetzung. Von ihnen wird erwartet, dass sie schwören, "wahrheitsgetreu und getreu" zu dolmetschen, obwohl diese Praxis eine Reihe wichtiger Fragen aufwirft, die das Wesen des Dolmetschens selbst betreffen. Jede untreue und ungenaue Verdolmetschung ist sowohl für den Kunden als auch für den Dolmetscher schädlich. Letzteres kommt einer strafrechtlichen Verfolgung gleich, wenn eine solche Verdolmetschung stattfindet. Aus diesem Grund ist es den Dolmetschern untersagt, "zu dolmetschen" - im Sinne von "entschlüsseln und zu versuchen, ihr Verständnis der Bedeutungen und Absichten des Sprechers zu vermitteln" (Morris 1995:27 zitiert nach Shuttleworth 1997:33).

2.3.3 Gemeinschaftsdolmetschen

Für diese Art des Dolmetschens gibt es verschiedene Bezeichnungen: Gemeinschaftsdolmetschen, Dialog- oder Kontaktdolmetschen, Dolmetschen im öffentlichen Dienst oder Ad-hoc-Dolmetschen. Shuttleworth (1997:23) zitiert Downing und Helms Tilkey (1992:2) und erklärt, dass der Zweck dieser Art des Dolmetschens darin besteht, Personen, die nicht die Mehrheitssprache der Gemeinschaft, in der sie leben, sprechen, Zugang zu öffentlichen Dienstleistungen zu verschaffen. Diese Art des Dolmetschens wird u. a. bei polizeilichen und (nicht gerichtlichen) Gerichtsverhandlungen, in Schulen (Eltern-Lehrer-Konferenzen), bei der öffentlichen Sicherheit, bei Vorstellungsgesprächen in der Arbeitswelt, bei kommunalen Diensten sowie in der medizinischen und psychologischen Versorgung eingesetzt. Am häufigsten wird sie in Ländern wie den USA, Deutschland, Großbritannien und Schweden eingesetzt, in denen es große ethnische Gemeinschaften gibt. Noch vor einigen Jahrzehnten wurde diese Art des Dolmetschens von "ungeschulten Zweisprachigen" ausgeführt. Heutzutage gewinnt diese Art des Dolmetschens als Reaktion auf die zunehmende Multikulturalität und Mehrsprachigkeit vieler Gesellschaften zunehmend an Professionalität. Gemeinschaftsdolmetschen findet normalerweise in einer Eins-zu-eins-Situation statt und ist in der Regel bidirektional. Die Botschaft wird in der Regel Satz für Satz gedolmetscht, so dass kein Bedarf für Konsekutivdolmetschen besteht. Es besteht die Wahrscheinlichkeit eines hohen Maßes an "Mismatch", da ein erhebliches Element der interkulturellen Transkodierung beteiligt ist.

2.3.4 Dolmetschen in der Medizin oder im Gesundheitswesen

Aus den obigen Informationen über das Verhandlungsdolmetschen lässt sich mit Fug und Recht schließen, dass diese Art des Dolmetschens darunter fällt. Es ist jedoch hervorzuheben, dass das medizinische Dolmetschen für den Kunden ebenso schädlich ist wie das Gerichtsdolmetschen. Mit anderen Worten, jede untreue und ungenaue Verdolmetschung der Botschaft des Sprechers birgt nicht nur die Gefahr, dass der Arzt dem Patienten falsche Medikamente verschreibt, sondern bringt auch dessen Leben in Gefahr.

2.3.5 Begleitdolmetschen

Da es sich beim Begleitdolmetschen um Dolmetschen für den öffentlichen Dienst bzw. das Gemeindedolmetschen handelt, kann für Einzelheiten zu dieser Art des Dolmetschens auf die obigen Ausführungen zum Gemeindedolmetschen verwiesen werden.

2.3.6 Gebärdensprachdolmetschen

Nach Phelan (2001:14) wird Gebärdensprachdolmetschen für gehörlose, hörgeschädigte oder schwerhörige Menschen angeboten, die die Originalsprache nicht verstehen können. Schwerhörige Menschen befinden sich in der gleichen Situation wie Menschen, die die Sprache des Landes, in dem sie leben, nicht sprechen. Diese Art von Sprache wird über die visuelle Modalität aufgenommen und durch manuelle und nicht-manuelle Gesten ausgedrückt. Es gibt unterschiedliche Auffassungen darüber, ob man diese Art von Sprache als "Gebärdensprache" oder als "Gebärdensprache" bezeichnen sollte. Isham (1998:231-235) ist der Ansicht, dass die meisten Laien diese Sprache als "Gebärdensprache" bezeichnen, es aber keine Sprache gibt, die so genannt wird. Vielmehr hat jede Gehörlosengemeinschaft auf der Welt ihre eigene Gebärdensprache. Es gibt also so viele Gebärdensprachen, wie es verschiedene Gehörlosengemeinschaften auf der Welt gibt. Die Gebärdensprache, die in den Vereinigten Staaten und in weiten Teilen Kanadas verwendet wird, ist beispielsweise die American Signed Language (ASL), die für Benutzer der British Signed Language (BSL) nicht ohne weiteres verständlich ist (ebd.) Die Einstellung zur Gebärdensprache hat sich geändert. Heute ist die Gebärdensprache als eigenständige Sprache anerkannt. Bei dieser Art von Sprache werden Gesten der Hand und des restlichen Körpers, einschließlich des Gesichts, verwendet. Eine Reihe von Gebärdensprachen hat sich in verschiedenen Ländern getrennt entwickelt. In der englischsprachigen Welt haben sich die amerikanische, die britische und die irische Gebärdensprache getrennt voneinander entwickelt. Neben den Industrieländern haben auch einige Entwicklungsländer ihre eigenen Gebärdensprachen entwickelt: Kameruner Gebärdensprache (Quelle: Buea School of the Deaf). Als Teilbereich des Gemeindedolmetschens findet ein Großteil der Arbeit von Gebärdensprachdolmetschern in kommunalen Einrichtungen statt. Sie reichen von Arztterminen über Schulräume, Hochzeiten, Eheberatungen, Vorstellungsgespräche bis hin zur Psychotherapie. Fest steht, dass "Dolmetscher für Gehörlose" oder "Gebärdensprachdolmetscher" im Grunde dieselbe Funktion ausüben wie andere Dolmetscher: Sie übertragen die Botschaft in der Ausgangssprache in ein Format der Zielsprache, das andere verstehen können.

2.3.7 Telefondolmetschen

Telefondolmetschen ist ein bilaterales Dolmetschen über das Telefon. Es wird häufig im geschäftlichen Kontext, bei medizinischen Untersuchungen und sogar vor einigen Gerichten in Amerika eingesetzt.

2.3.8 Fernsehdolmetschen

Simultandolmetschen wird für Fernsehsendungen angeboten, teilweise für Interviews mit ausländischen Gästen, um nur einige Beispiele zu nennen. Beispiele hierfür sind Politiker, Musiker und Sportler. Diese Art von Konzept, das in der englischsprachigen Welt nicht weit verbreitet ist, ist auf dem europäischen Festland durchaus üblich (Phelan 2001:15).

2.3.9 Videokonferenzdolmetschen

Nach Phelan (2001:16) entwickelt sich die Videokonferenztechnologie rasant. Das Internet bietet ein großes Potenzial für Live-Konferenzen in der Zukunft. Was das AT and T Video Center in Atlanta, Georgia, betrifft, so besteht die Grundausstattung für Videokonferenzen aus einer Kamera, einem Codec, einem Monitor, einem Mikrofon, einem Bedienfeld an jedem Standort und Netzwerkdiensten zur Verbindung der Standorte. Einige multinationale Unternehmen nutzen Videokonferenzen als Teil des Einstellungsverfahrens.

2.3.10Abhören und Tonbandabschrift

Viele Strafverfolgungsbehörden in den USA und in den Niederlanden verwenden Abhörgeräte, um Gespräche in Privatwohnungen aufzuzeichnen, und nutzen Mobiltelefonleitungen, um Informationen über Drogendelikte und kriminelle Banden zu erhalten. Nach Angaben des Administrative Office of the US Courts wurden 1999 1.350 Anträge auf Genehmigung von Abhörmaßnahmen gestellt. Die Ergebnisse waren 4.372 Verhaftungen und 654 Verurteilungen (Phelan 2001:16-17).

2.4 Techniken des Dolmetschens

In diesem Abschnitt der Studie wird das Augenmerk im Wesentlichen auf die beiden Hauptformen des Dolmetschens gerichtet. Mit anderen Worten, es geht nur um die Grundsätze/Techniken, die beim Konsekutivdolmetschen und beim Simultandolmetschen benötigt werden.

2.4.1 Konsekutivdolmetschen

Diese Arbeit erhebt nicht den Anspruch, alle verfügbaren Prinzipien des Konsekutivdolmetschens zu überprüfen. Jones (2002:11-34) hebt drei Grundprinzipien hervor und untersucht sie: Verstehen, Analyse und Wiederausdruck. Viele der von der Autorin vertretenen Prinzipien überschneiden sich. Bevor die oben genannten Grundsätze analysiert werden, sollte noch einmal darauf hingewiesen werden, dass das eigentliche Konsekutivdolmetschen das Anfertigen von Notizen beinhalten sollte.

2.4.1.1 Verstehen

Das Verstehen ist der erste Grundsatz von Roderick Jones. Beim Konsekutivdolmetschen ist die erste Frage, die dem Dolmetscher beim Zuhören einer Rede in den Sinn kommen sollte, entweder "Was meint der Redner?" oder "Verstehe ich den Sinn der Rede?". Es sollte betont werden, dass sprachliches Verständnis zwar notwendig, aber keine hinreichende Bedingung dafür ist, dass der Dolmetscher in der Lage ist, Ideen in einer anderen Sprache effizient wiederzugeben. Das Verstehen bezieht sich vielmehr auf die Ideen, denn es sind die Ideen und nicht die Worte, die gedolmetscht werden müssen. Ein Dolmetscher muss in der Lage sein, die Bedeutung dieser Ideen in Sekundenbruchteilen zu erfassen, und muss daher ständig aktiv und aufmerksam zuhören.

2.4.1.2 Analyse

Die Analyse nach Jones (2002:ebd.) umfasst die Analyse des Sprachtyps, die Identifizierung der Hauptideen, die Analyse der Verbindungen und der Erinnerung.

2.4.1.2.1 Analyse des Sprachtyps

Was die Analyse der Art der Rede betrifft, so ist der oben genannte Autor der Meinung, dass der Dolmetscher, wenn er vom aktiven Zuhören ausgeht, zur Analyse der Rede übergehen kann, indem er herausfindet, um welche Art von Rede es sich handelt. Es gibt verschiedene Arten von Reden: begründete/logische Argumente, erzählende Reden (mit rein chronologischer Abfolge), beschreibende Reden (Szenen oder Ereignisse), polemische Reden (bei denen der Redner die Zuhörer unbedingt überzeugen will) und rein rhetorische Reden (bei denen die inhaltlichen Details zweitrangig, vielleicht sogar irrelevant sind) (Jones 2002:2-5) Die obige Liste der Redetypen ist bei weitem nicht vollständig. Die Kenntnis des Redetyps erleichtert die Arbeit des Dolmetschers erheblich, was jedoch nicht bedeutet, dass er danach entspannt ist. Vielmehr wird von den Dolmetschern erwartet, dass sie diese allgemeine Analyse zur Feinabstimmung der für jede einzelne Rede erforderlichen speziellen Analyse nutzen und dann dem Redner ihre Aufmerksamkeit widmen.

2.4.1.2.2 Identifizierung der Hauptgedanken

Der nächste nützliche Grundsatz oder die nächste nützliche Technik ist die Ermittlung der Hauptgedanken. Der Begriff "Hauptgedanken" impliziert eine Hierarchie der relativen Bedeutung der Gedanken. Eine oder mehrere Ideen können für die Aussage von untergeordneter Bedeutung sein, und andere können akzessorisch, nebensächlich oder nur illustrativ sein. Die Begriffe "zweitrangig" oder "nebensächlich" sollten jedoch nicht so missverstanden werden, dass sie so unwichtig sind, dass sie nicht interpretiert werden müssen. Übrigens, was sollten eigentlich die Hauptgedanken einer Rede sein? Jones (2002:22) zufolge ist es schwierig, feste Regeln dafür aufzustellen, was als Hauptgedanken zu betrachten ist. Es wird allgemein davon ausgegangen, dass die Delegierten immer Antworten auf drei grundlegende Fragen brauchen: Wer? Was? und Wann? Oder genauer gesagt: Wer tut was, was sagt diese Person, und wann sagt sie es. Sobald der Dolmetscher beim Zuhören einer Rede leicht Antworten auf die oben genannten Wh-Fragen geben kann, wird das Dolmetschen ein wenig einfacher.

2.4.1.2.3 Analyse der Links

Der erste Schlüssel zum Verständnis einer Rede besteht darin, die Hauptgedanken zu erkennen, und der zweite darin, die Verbindungen zwischen diesen Gedanken zu analysieren. Eine Rede ist weit davon entfernt, eine einfache Aneinanderreihung von Sätzen zu sein. Es gibt eine bestimmte Art und Weise, in der die Sätze miteinander in Beziehung stehen, und diese Beziehung bestimmt die Gesamtbedeutung einer Rede. Es gibt vier grundlegende Arten von Verbindungen: logische Konsequenz, logische Ursache, aufeinanderfolgende Ideen und Opposition. Abgesehen von diesen vier Arten können die Gedanken durch bestimmte Redeweisen miteinander verbunden werden, die der Dolmetscher ausnutzen sollte. So kann der Dolmetscher beispielsweise rhetorische Fragen in die Rede einbauen. Es bleibt dem Dolmetscher überlassen, diese strukturierenden Elemente in der Rede zu nutzen, um die Verdolmetschung klarer zu strukturieren und damit für die Zuhörer leichter nachvollziehbar zu machen.

2.4.1.2.4 Speicher

Beim Konsekutivdolmetschen hört sich der Dolmetscher eine Rede an und gibt sie dann in einer anderen Sprache wieder. Das bedeutet, dass der Dolmetscher in der Lage sein muss, sich an Ideen zu erinnern. Zu diesem Zweck muss er auf sein Gedächtnis zurückgreifen. Es genügt festzustellen, dass es für einen Dolmetscher unmöglich ist, sich ausschließlich auf gute Notizen zu verlassen. Selbst wenn dies möglich wäre, wäre es nicht wünschenswert. Der Konsekutivdolmetscher muss also sein Kurzzeitgedächtnis trainieren. Ein weiterer Punkt, der hervorzuheben ist, betrifft die beiden entscheidenden Momente einer Rede: den Anfang und das Ende. Der Konsekutivdolmetscher muss sich besonders auf diese beiden Momente konzentrieren und darauf achten, dass er sie richtig trifft. Der Anfang, "der Ausgangspunkt der Reise", ist sehr wichtig. Wenn der Dolmetscher ihn verpasst, ist die Wahrscheinlichkeit groß, dass er das Ende der "Reise" nicht erreicht. Andererseits ist das Ende normalerweise der wichtigste Teil der Rede. Anstatt sich zu entspannen, muss der Dolmetscher am Ende einer Rede seine Konzentration verdoppeln.

2.4.1.3 Wiederausdruck

Nach dem Verstehen und Analysieren der Rede muss der Konsekutivdolmetscher die soeben gehörte Rede wiedergeben. Da Dolmetscher immer als öffentliche Redner anerkannt sind, müssen sie Blickkontakt mit dem Publikum herstellen und klar und deutlich sprechen. Außerdem müssen sie die Rede effizient vortragen, ohne zu zögern und ohne unnötige Wiederholungen. Außerdem müssen sie ein gleichmäßiges Tempo beibehalten und sich vor Augen halten, dass der Kern des Dolmetschens die Kommunikation ist. Nach Jones (2002:37): Je mehr der Dolmetscher in der Lage ist, die Ideen des Redners in seinen eigenen Worten auszudrücken, desto besser wird die Qualität der Kommunikation zwischen dem Redner und den Zuhörern, wobei der Dolmetscher lediglich ein Medium für die Paradoxie des Dolmetschers ist: Je kreativer der Dolmetscher ist, je mehr er sich an den Text hält, je origineller er ist - was die Kommunikation fördert - desto weniger aufdringlich ist er für die Teilnehmer einer Sitzung! Die besten und kreativsten Dolmetscher sind diejenigen, die von den Teilnehmern am wenigsten wahrgenommen werden. Obwohl von einem Dolmetscher erwartet wird, dass er eine Botschaft intellektuell erfasst, die zu vermittelnden Ideen vollständig versteht und analysiert, ist noch etwas anderes erforderlich. Er muss über die reichhaltigsten Ressourcen in der Zielsprache verfügen und in der Lage sein, diese bei Bedarf abzurufen. Andernfalls können sie eine Rede zwar intellektuell aufnehmen, sie vollständig verstehen und die zu vermittelnden Ideen analysieren, aber aufgrund schlechter oder unzureichender Sprachkenntnisse nicht die gewünschte Leistung erbringen. Von den Jones'schen Grundsätzen wurden Tipps zum Notizenmachen nicht erwähnt. Es ist anzumerken, dass es für das Aufschreiben von Notizen spezifische Techniken gibt, die der Forscher hier nicht für notwendig hält, wiederzugeben.

2.4.2 Simultandolmetschen

In gewissem Sinne ist Simultandolmetschen dasselbe wie Konsekutivdolmetschen. In beiden Fällen geht es um das Zuhören, Verstehen, Analysieren und Wiedergeben. In beiden Fällen übt der Dolmetscher die gleichen grundlegenden intellektuellen Tätigkeiten aus. Außerdem erfüllen beide die gleiche Funktion als Kommunikationsmittel. Zusammenfassend lässt sich sagen, dass vieles von dem, was bereits über das Konsekutivdolmetschen gesagt wurde, auch für das Simultandolmetschen gilt. Trotz dieser scheinbaren Gleichheit gibt es Unterschiede zwischen Simultandolmetschen und Konsekutivdolmetschen. Im Wesentlichen sind es zwei Unterschiede, die das Simultandolmetschen zusätzlich erschweren: ein akustisches und ein intellektuelles Hindernis (Jones 2002:66). Die akustische Schwierigkeit besteht darin, dass man erst zuhört und dann spricht, während beim Simultandolmetschen der Dolmetscher gleichzeitig zuhören und sprechen muss. Diese doppelte Tätigkeit ist unnatürlich, muss aber kultiviert werden.

2.4.2.1 Die "Goldenen Regeln" des Simultandolmetschens

Zusätzlich zu dem, was unter den Grundsätzen des Konsekutivdolmetschens erörtert wurde, und um zu vermeiden, dass auf Einzelheiten eingegangen wird und bestimmte bereits oben genannte Aspekte zu vermeiden, ist es besser, die Techniken des Simultandolmetschens in den folgenden elf Techniken zusammenzufassen, die als die "Goldenen Regeln" des Simultandolmetschens bezeichnet werden (Jones 2002:72). Diesem Autor zufolge muss der Simultandolmetscher:

1) Denken Sie daran, dass sie kommunizieren;
2) Nutzen Sie die technischen Möglichkeiten optimal aus;
3) Stellen Sie sicher, dass sie sowohl den Redner als auch sich selbst gut hören können;
4) Versuchen Sie niemals zu interpretieren, was sie nicht gehört oder

akustisch verstanden haben;
5) Maximieren Sie die Konzentrationen;
6) Lassen Sie sich nicht ablenken, indem Sie Ihre Aufmerksamkeit auf einzelne problematische Wörter richten;
7) Sie fördern die sekundengenaue Aufmerksamkeit, indem sie dem Redner aktiv und analytisch zuhören und ihre eigene Leistung kritisch beobachten;
8) Verwenden Sie, wenn möglich, kurze und einfache Sätze;
9) Seien Sie grammatikalisch korrekt;
10) in jedem Satz einen Sinn ergeben; und
11) Beenden Sie immer ihre Sätze oder lassen Sie keine unvollendeten Sätze zu.
Zusammenfassend lässt sich für das Konsekutiv- und Simultandolmetschen sagen, dass der Dolmetscher in der Lage sein muss, gut zu hören (H), zu verstehen (U), umzuformulieren (R) und wiederzugeben (D), woraus sich die HURD-Formel ergibt.

2.5 Sprachen der Kommunikation

Die Kommunikationssprachen lassen sich in zwei Gruppen einteilen: Sprachen der allgemeinen Kommunikation und Sprachen der engeren Kommunikation. Diese beiden Sprachtypen wurden in der Einleitung zu dieser Arbeit kurz definiert.

2.5.1Sprachen der erweiterten Kommunikation (LWCs)

Wie bereits im ersten Kapitel dieser Studie erwähnt, ist eine LWC eine Sprache, die von Menschen häufig verwendet wird, um über sprachliche und kulturelle Barrieren hinweg zu kommunizieren. Nach Bamgbose (1991:34) wurde der Begriff Sprachen der erweiterten Kommunikation (LWC) erstmals von Fishman (1968a) eingeführt und hat sich in der Soziolinguistik inzwischen weit verbreitet. Die Frage ist nun: Was sind die Merkmale der LWCs? Nach der Lektüre von Bamgbose (1991:19-34) lassen sich die folgenden Merkmale von LWCs feststellen. Ein LWC sollte sein:
1 Eine Sprache für internationale Konferenzen;
2 Eine Sprache der Wissenschaft und Technik;

3 Eine Sprache der Medien und der Verwaltung;
4 Eine Sprache des Geschäftsverkehrs;
5 Eine Sprache der Bildung im Allgemeinen und der Hochschulbildung im Besonderen;
6 Eine Sprache, die in einem Land für die offizielle Kommunikation verwendet wird;
7 Eine Sprache für die Elite oder die elitäre Klasse;
8 Eine Sprache für die wenigen Glücklichen oder eine Sprache des Ansehens;
9 In den meisten Fällen ist sie de facto die Sprache der Regierung;
10In Afrika ist sie im Großen und Ganzen eine Kolonialsprache;
11Eine Sprache der Entwicklung und Modernisierung;
12Eine Sprache, die die Massen diskriminiert, oder eine Sprache, die sie ausschließt;
13eine neutrale Sprache, die leicht als Sprache der nationalen Einheit oder als Kompromisssprache angenommen werden könnte, und
14Eine Sprache, die durch die Bevölkerung (eine angemessene Anzahl von Sprechern) unterstützt wird, um sie zu erhalten.

Weltweit müssen eine Reihe von Faktoren berücksichtigt werden, bevor ein Land eine Sprache als offizielle oder nationale Sprache einführt. Die wichtigsten davon sind Nationalismus bzw. "Nationalismus", Akzeptanz der vertikalen Integration, Bevölkerung und Sprachentwicklungsstand (Bamgbose 1991:19). Der Grad der Richtigkeit der oben genannten Faktoren ist jedoch nach wie vor ein kontroverses Thema unter den Sprachsoziologen. Sogar die oben genannten vierzehn Merkmale sind nach wie vor umstritten. Manchmal wird die Bedeutung der oben genannten Merkmale und Faktoren von einigen Autoren eindeutig überbewertet (Bamgbose (1991:21). Es sei darauf hingewiesen, dass das Ziel dieser Arbeit nicht darin besteht, sich auf diese Polemik einzulassen. Wie verhält es sich nun, nachdem die Merkmale der LWCs identifiziert wurden, mit den Sprachen der engeren Kommunikation (LNCs)?

2.5.2 Sprachen der engeren Kommunikation (LNCs)

Wie bereits in der Einleitung zu dieser Arbeit hervorgehoben wurde, setzt die Existenz des Begriffs LWCs die Existenz von LNCs voraus, die sich auf Sprachen beziehen sollen, die nicht weit verbreitet und den Menschen/Sprechern anderer Sprachen oder Kulturen bekannt sind. Dies ist insbesondere in Kamerun und in Afrika insgesamt der Fall, wo es eine Vielzahl von Nationalsprachen wie Duala, Mungaka, Bulu, Moghamo, um nur einige zu nennen, gibt. Aus den oben genannten Merkmalen der LWCs lassen sich die folgenden Merkmale der LNCs ableiten:

1 Eine Sprache mit vergleichsweise wenigen Sprechern;
2 Eine Sprache für lokale Verhandlungen;
3 Eine weniger entwickelte Sprache, was Wissenschaft und Technologie betrifft;
4 Eine Sprache, die sprachlich nicht entwickelt ist;
5 Eine Sprache, die nicht für den Unterricht in Schulen verwendet wird;
6 Eine Sprache für die weniger Privilegierten oder die breite Masse;
7 Eine Sprache, die nicht für die offizielle Kommunikation verwendet wird;
8 Eine weniger authentische und weniger effiziente Sprache;
9 eine einheimische oder nationale Sprache; und
10Eine Sprache, die zugunsten der Kolonialsprache(n) vernachlässigt wird, wie es in Afrika im Allgemeinen und in Kamerun im Besonderen der Fall ist.

Aus den oben genannten Merkmalen von LWCs und LNCs lässt sich schließen, dass letztere einen geringeren Status haben als erstere. In der Regel werden die LNK aus Gründen der "nationalen Einheit" immer zugunsten der Fremdsprachen aufgegeben oder sprachlich nicht weiterentwickelt. Dies führt zu einem geringeren oder fast unbedeutenden Wortschatz oder Konzepten, um mit den LWC konkurrieren zu können. Mit anderen Worten: Die Bedeutung der LNK wird oft unterschätzt oder zugunsten der "Entwicklungs-" und Modernitätssprachen heruntergespielt.

Folglich ist das Dolmetschen aus dem Englischen - einer LWC - in das Moghamo - eine LNC - wahrscheinlich mit einer Reihe von Herausforderungen verbunden. Eine Beschreibung der Herausforderungen und Aussichten des Dolmetschens aus einer Sprache der breiteren Kommunikation in eine Sprache der engeren Kommunikation wird im Mittelpunkt von Kapitel fünf stehen.

2.6 Kulturelle Distanz und sprachliche Distanz

Die Kultur ist für die Kommunikation sehr wichtig. Sie wird definiert als "ein komplexes Ganzes, das Wissen, Glauben, Kunst, Recht, Sitten und alle anderen Fähigkeiten und Gewohnheiten verkörpert, die ein Individuum in einer bestimmten Gesellschaft erworben hat" (Katan 2004:25). Die Bedeutung der Kultur für ein Individuum und ein Volk macht sie für jeden effektiven und effizienten Kommunikationsprozess unverzichtbar. Folglich wird ein Dolmetscher mit unzureichenden Kenntnissen einer bestimmten Kultur offensichtlich falsche oder unpassende Wiedergaben von Sprache "A" in Sprache "B" machen. Die Situation wird noch verschärft, wenn aus einer hoch entwickelten Sprache wie Englisch in eine weniger entwickelte Sprache wie Moghamo gedolmetscht wird. Kurz gesagt, wenn Kulturen in Bezug auf Glauben, Recht, Moral, Bräuche usw. so weit voneinander entfernt sind, kommt es zwangsläufig zu Kommunikationshindernissen, und da die Sprache ein integraler Bestandteil der Kultur ist, bleibt sie für die Kommunikation wichtiger als die Kultur, da eine effektive Kommunikation nur dank der Sprache möglich ist. Auch wenn die Kommunikationsfähigkeiten der einzelnen Sprachen nicht in Frage gestellt werden können, so bleibt doch eine Tatsache kristallklar: eine europäische Sprache und eine afrikanische indigene Sprache sind zwei unterschiedliche und weit voneinander entfernte Sprachensysteme. Dies steht natürlich nicht im Widerspruch zu Englisch und Moghamo, die in dieser Arbeit untersucht werden. Beide Sprachräume unterscheiden sich auf verschiedenen Ebenen: kulturell, soziologisch, traditionell, historisch, um nur einige zu nennen.
Gemäß der obigen Prämisse setzt eine effektive Kommunikation von einer LWC in eine LNC voraus, dass der Dolmetscher in der Lage ist,

kultur-, struktur-, orts- und traditionsgebundene Elemente in der SL zu unterscheiden und sie in der TL adäquat wiederzugeben (Ojo 1986). Wird dieser Aspekt vernachlässigt, kommt es zu einer mangelhaften Kommunikation, die zu unerwünschten Nebeneffekten führen kann.1 Nachdem die Konzepte der kulturellen und sprachlichen Distanz hervorgehoben wurden, wird im weiteren Verlauf der Studie auf diese Aspekte eingegangen. Es sollte gleich zu Beginn betont werden, dass beide Konzepte in der Kommunikation wechselseitig enthalten sind. Nachdem wir uns auf diese Konzepte konzentriert haben, ist es notwendig, einen kurzen Überblick über die Sprachenpolitik in Kamerun zu geben.

2.7 Sprachenpolitik in Kamerun

Kamerun ist, wie bereits im obigen Kapitel erwähnt, ein mehrsprachiges Land, in dem jeder Bürger mit mehreren Sprachen in Berührung kommen sollte. Es besteht sogar die Möglichkeit, dass der Einzelne andere Sprachen als seine eigene erwirbt oder erlernt, und zwar manchmal besser.

2.7.1 Offizielle Zweisprachigkeit

Von 1884 bis 1919 war Kamerun eine deutsche Kolonie, bevor es nach dem Ende des Ersten Weltkriegs unter die Treuhandschaft Frankreichs und Großbritanniens gestellt wurde. Dies bedeutet, dass die Verwaltungs- und Bildungssprachen bis 1919 Deutsch waren, Französisch für Ostkamerun und Englisch für Westkamerun bis 1961, dem Jahr, in dem die offizielle Zweisprachigkeit eingeführt wurde. Nach der Wiedervereinigung der beiden föderalen Staaten wurden die beiden Sprachen, die in den beiden Teilen Kameruns verwendet wurden, als Amtssprachen übernommen (Tene 2009:61). Diese offizielle Zweisprachigkeit sollte wie folgt in konkrete Maßnahmen umgesetzt werden:

- Gleiche Verwendung von Französisch und Englisch im ganzen Land;
- Übersetzung aller offiziellen Dokumente in die beiden Amtssprachen;

- Versetzung von Beamten oder Staatsbediensteten in alle Regionen des Landes, unabhängig von ihrer sprachlichen Herkunft; und
- Einrichtung von Übersetzungsdiensten in verschiedenen Ministerien, außer denen des Präsidenten der Republik und der Nationalversammlung.

2.7.2Festlegung der Problemstellung der Arbeit

Neben den positiven Aspekten der oben genannten Maßnahmen, die darauf abzielten, möglichst vielen Kamerunern den Zugang zu allen offiziellen Dokumenten zu ermöglichen und nach und nach beide Amtssprachen zu beherrschen, gibt es auch negative Folgen. Der erste Aspekt ist, dass aufgrund des Drangs, die "nationale Einheit" zu fördern und die Interessen der Kolonialherren zu schützen, eine Reihe von Nationalsprachen vernachlässigt oder sogar aufgegeben wurde. Tatsächlich wurde der Unterricht dieser Nationalsprachen in den Schulen von der Regierung unter dem Einfluss der Kolonialherren völlig entmutigt oder sogar verboten. Aufgrund der bevorzugten Stellung des Englischen und anderer LWCs sahen die Kameruner, insbesondere die Regierungsbehörden, keine Notwendigkeit, die Nationalsprachen zu fördern oder sprachlich zu entwickeln. Indem er Fonlon (1975:204) zitiert, gibt Ojo die Worte eines ehemaligen kamerunischen Ministers über das afrikanische sprachliche Erbe wieder, der das Handtuch zugunsten der LWCs warf: Da wir so heterogen, so hoffnungslos zersplittert sind und keine dieser Sprachen Träger von Wissenschaft und Technologie ist, sind wir trotz unseres Stolzes gezwungen, die Einheit unter uns zu suchen, die moderne Entwicklung durch fremde Sprachen zu suchen. Und unser Bestreben sollte es sein, denjenigen unserer Kinder, die dazu in der Lage sind, die Mittel an die Hand zu geben, um große Erfolge im Gebrauch dieser Fremdsprachen zu erzielen und sie so zu beherrschen, wie ihre Besitzer sie beherrschen (Ojo 1991:56).
Aus der obigen entmutigenden Aussage einer Autorität geht hervor, dass die jungen Afrikaner - einschließlich der Kameruner - ihre Muttersprachen nicht mehr ernst nehmen sollten. Darüber hinaus hat die nationale Sprachenpolitik in Kamerun die Entwicklung der

Landessprachen konsequent abgewürgt. Mit dieser Haltung wurde der "landessprachlichen Bildung" ein Ende gesetzt, während dem Erlernen des "gebildeten Englisch" Vorrang eingeräumt wurde. Im Gegensatz zu dem, was damals als vorrangiges Projekt der Missionare angesehen wurde, behinderte diese Situation die "fortschreitende Standardisierung der Landessprachen" (Anchimbe 2006:55). Tatsächlich erstreckte sich die Abschaffung der "Volkssprache" zugunsten der englischen Sprache über einen längeren Zeitraum, wie Wardhaugh (1987:172) bestätigt, der von Anchimbe (ebd.) zitiert wird: "Die Briten verwendeten zunächst die Volkssprache in der Grundschulbildung in dem einen Fünftel Kameruns, das ihnen gehörte. Aber im Laufe der Jahre begannen sie auf Druck der Kameruner, immer mehr Wert auf die englische Sprache zu legen, so dass die Volkssprache 1958 ausgestorben war. Nachdem der Forscher mehr als fünfzig Jahre lang für die westlichen Sprachen auf Kosten der einheimischen Sprachen eingetreten war, machte er sich daran zu untersuchen, wie erfolgreich es ist, aus einer hochentwickelten Sprache wie Englisch in eine LNC wie Moghamo zu dolmetschen. Obwohl der Minister die Afrikaner aufforderte, diese Fremdsprachen zu lernen und "sie wie ihre Besitzer zu beherrschen", ist zu bezweifeln, dass diese Afrikaner sie jemals so beherrschen können wie ihre Muttersprachler. Aufgrund der offiziellen Zweisprachigkeit und der Sprachenpolitik in Kamerun wurde die Entwicklung von Nationalsprachen unterdrückt. Darunter leidet zwangsläufig auch das Moghamo, woraus sich der Sinn dieser Forschungsarbeit ergibt. Angesichts dieser Sachlage stellen sich mehrere Fragen: Wie einfach ist es für Sprecher einer Landessprache wie Moghamo, Zugang zu Informationen über fortschrittliche Technologien zu erhalten, wie es für Sprecher des Englischen der Fall ist? Oder wie einfach oder schwierig ist es, mündlich vom Englischen ins Moghamo zu übersetzen oder zu dolmetschen? Der Versuch, diese Fragen zu beantworten, wird später in dieser Arbeit unternommen. Bevor jedoch versucht wird, sie zu beantworten, müssen zunächst die theoretischen und verfahrenstechnischen Rahmenbedingungen dieser Forschungsarbeit dargelegt werden.

KAPITEL III

METHODISCHE UND VERFAHRENSTECHNISCHE RAHMENBEDINGUNGEN

3.0 Einführung

Aus dem Wortlaut dieses Kapitels gehen zwei Hauptaspekte klar hervor: Methode und Verfahren. Mit anderen Worten, dieses Kapitel konzentriert sich unter anderem auf die Theorien, die in einem Interpretationsprozess anwendbar sind, und auf das Verfahren oder die Methodik, die bei der Datenerhebung und der Datenanalyse verwendet werden.

3.1 Methodik

Der erste Abschnitt dieses Kapitels befasst sich mit Theorien, die für das Dolmetschen oder Übersetzen wesentlich oder relevant sind: Kultur-, Kommunikations- und Übersetzungstheorien. Der zweite Teil dieses Abschnitts befasst sich mit dem Konzept der sprachlichen Distanz, das für diese Arbeit ebenso wichtig ist.

3.1.1 Anwendbare Kulturtheorien

3.1.1.1 Definition von Kultur

Vor der Erörterung einiger Theorien, die auf diese Arbeit anwendbar sind, muss der Begriff "Kultur" definiert werden. Tatsächlich wurde dieser Begriff von einer Vielzahl von Anthropologen unterschiedlich definiert. In Anbetracht der herausragenden Stellung, die die Kultur in jedem Kommunikationsprozess einnimmt, ist es wichtig, einige der Definitionen hervorzuheben, die für diese Arbeit als wesentlich angesehen werden. Eine der ältesten und am häufigsten zitierten Definitionen dieses Begriffs stammt von dem englischen Anthropologen Edward Barnett Taylor aus den Jahren 1871 und 1958: "Kultur ist das komplexe Ganze, das Wissen, Glauben, Kunst, Moral,

Recht, Sitten und alle anderen Fähigkeiten und Gewohnheiten umfasst, die der Mensch als Mitglied der Gesellschaft erworben hat" (Katan 2004:25). Eine weitere wichtige, wenn auch langatmige Definition stammt von den beiden amerikanischen Anthropologen Alfred Louis Kweber und Clyde Kluckholm (1952:181) (Katan 2004:25): "Kultur besteht aus expliziten und impliziten Verhaltensmustern, die durch Symbole erworben und weitergegeben werden und die die besondere Leistung menschlicher Gruppen ausmachen. Kulturelle Systeme können einerseits als Produkte des Handelns, andererseits als konditionierende Elemente für zukünftiges Handeln betrachtet werden.Kim und Gudykunst (1988:99) definieren ihrerseits Kultur als "... ein historisch überliefertes System von Symbolen und Bedeutungen, das durch Normen und Überzeugungen, die von einem Volk geteilt werden, identifizierbar ist". Aus den drei oben genannten Definitionen geht eine Reihe von Begriffen hervor, darunter die Weitergabe eines Systems von Symbolen, Überzeugungen, Moral und Bräuchen. All diese Begriffe weisen neben anderen Aspekten auf eine wichtige und entscheidende Voraussetzung hin: Die Nichtbeherrschung oder das Fehlen ausreichender Kenntnisse über eine bestimmte Kultur durch einen Dolmetscher wirkt sich zweifellos auf die Qualität der zu liefernden Verdolmetschung aus. Kurz gesagt, die Kultur hat großen Einfluss auf die Kommunikation. Wird der kulturelle Rahmen vernachlässigt, kommt es zwangsläufig zu Verzerrungen, einer fehlerhaften Übermittlung der Botschaft und schließlich zu Frustrationen.

3.1.1.2 Theorien zur kulturellen Wahrnehmung

Katan (2004:27) unterscheidet zwischen fünf Kulturansätzen: behavioristisch, ethnozentrisch, funktionalistisch, kognitiv und dynamisch. Der behavioristische Ansatz befasst sich zunächst mit Verhaltensweisen oder Gruppen von Verhaltensweisen, die von einem Volk geteilt und beobachtet werden. Dieser Ansatz befasst sich mit ausgewählten Fakten über das, was Menschen tun und was sie nicht tun. Diese Sichtweise lässt ein Volk glauben, dass das, was es tut oder nicht tut, von Natur aus besser oder überlegen ist (Katan 2004:28).

Ethnozentrismus seinerseits ist der Glaube, dass die Weltanschauung der eigenen Kultur für die gesamte Realität von zentraler Bedeutung ist (Bennett 1993:30 zitiert nach Katan 2004: ebd.). Dieser Glaube an die intrinsische Überlegenheit der Kultur, der man angehört, geht logischerweise oft mit Gefühlen der Abneigung und Verachtung gegenüber anderen Kulturen einher. Beim funktionalistischen Ansatz geht es um gemeinsame Regeln, die dem Verhalten eines bestimmten Volkes zugrunde liegen und durch das Verhalten beobachtbar sind. Dieser Ansatz neigt dazu, in einem wertenden Rahmen zu verharren, der auf der Tatsache beruht, dass eine Kultur dominant ist oder einer anderen vorgezogen wird. Tatsächlich liegt der Schwerpunkt hier auf "Machtbeziehungen und der Vorherrschaft einer nationalen Kultur, eines Glaubens, eines Geschlechts oder einer sexuellen Orientierung über eine andere" (Katan 2004:29). Die Aufgabe von Übersetzern, Dolmetschern oder Vermittlern besteht darin, andere zu verstehen und zu begreifen, was für sie Sinn macht, anstatt zu behaupten, dass "wir und nur wir die Wahrheit haben" (ebd.).Der vierte Ansatz ist der kognitive, d. h. die Form der Dinge, die Menschen im Kopf haben (Denkmuster), ihre Modelle für die Wahrnehmung, Beziehung und sonstige Interpretation. Diese kulturgebundenen "Denkmuster" werden durch das Erfahrungswissen des Einzelnen kategorisiert. Kurz gesagt ist dies der "zentrale Code" des Geistes, der die Mitglieder einer Gruppe oder Kategorie von Menschen von anderen unterscheidet. Hier wird die Kultur als ein dynamischer Prozess betrachtet, der von den Beteiligten ständig ausgehandelt wird. Dies bedeutet jedoch nicht, dass die Kultur einer ständigen Metamorphose unterworfen ist, sondern dass es einen dialektischen Prozess zwischen den internen Modellen der Welt und der externen Realität gibt.1 Wenn man die oben genannten kulturellen Ansätze betrachtet, kann man davon ausgehen, dass sie für jeden Kommunikationsprozess (Dolmetschen) notwendig und anwendbar sind, da ohne sie die Übertragung von Botschaften fehlerhaft ist. Bevor wir uns der Frage zuwenden, wer ein Kulturdolmetscher (Katan 2004:16) ist, muss betont werden, dass alle oben genannten Ansätze sich gegenseitig ergänzen, wenn es um das Dolmetschen oder die Übertragung einer Botschaft aus einer bestimmten Kultur oder Sprache in eine andere geht.

3.1.1.3 Kulturdolmetscher

Bevor definiert wird, wer ein Kulturdolmetscher ist, muss zunächst geklärt werden, worum es beim Kulturdolmetschen überhaupt geht. Dieser Begriff kann definiert werden als "Vermittlung von konzeptionellen und kulturellen Faktoren, die für eine bestimmte Interaktion im Rahmen einer zweisprachigen Übertragung relevant sind" (ebd.). Wichtig ist dabei, dass das Dolmetschen die Botschaft in einer Weise vermittelt, die dem jeweiligen sprachlichen und kulturellen Rahmen entspricht. Nach Katan (ebd.) ist ein Kulturdolmetscher eine Person aus einer bestimmten Kultur, die einem Dienstleister und seinem Kunden dabei hilft, sich gegenseitig zu verstehen. Der Schwerpunkt liegt dabei auf der effektiven Kommunikation und dem Verständnis zwischen den Parteien, wobei die kulturellen und sprachlichen Bedürfnisse des Kunden respektiert werden. Jones (2002), der von Katan (ebd.) zitiert wird, führt diesen Punkt weiter aus, wenn er darauf hinweist, dass ein Kulturdolmetscher ein Dolmetscher der Gemeinschaft oder des öffentlichen Dienstes ist, der dafür sorgt, dass ein Kunde "vollen oder gleichberechtigten Zugang zu öffentlichen Dienstleistungen erhält". Einige Befürworter wie Sapir sind davon überzeugt, dass eine Sprache nur innerhalb eines kulturellen Kontextes gut gedolmetscht werden kann (ebd.). Damit englische Begriffe in Moghamo "gut gedolmetscht" werden können, muss der "natürliche Dolmetscher" beide Kulturen beherrschen und in der Lage sein, zwischen beiden zu unterscheiden, vor allem, wenn er eine Botschaft aus der einen in die andere Sprache überträgt. Wenn also englische Konzepte in Moghamo erklärt oder kommuniziert werden, ohne die Moghamo-Kultur einzubeziehen, wird es zwangsläufig zu einem Kommunikationsproblem kommen. Es sollte hervorgehoben werden, dass der Begriff "Kultur" immer unterschiedlich betrachtet oder angegangen wird.

Obwohl Newmark (1988:6) vollkommen Recht hat, wenn er sagt: Keine Sprache, keine Kultur ist so "primitiv", dass sie nicht die Begriffe der, sagen wir, Computertechnologie übernehmen kann", so ist es doch angebracht festzustellen, dass das Dolmetschen aus dem Englischen (einer technologisch hoch entwickelten Sprache) in eine indigene Sprache wie Moghamo (eine technologisch noch nicht entwickelte Sprache) schwerwiegende Auswirkungen auf die Qualität der Kommunikation hat. So ist es beispielsweise problematisch, dass viele englische Begriffe, insbesondere Fachbegriffe, fünf oder mehr verschiedene Wörter benötigen, um in einer indigenen Sprache ausgedrückt zu werden. Zur Erinnerung: Vom Dolmetscher wird erwartet, dass er höchstens fünfundsiebzig bis achtzig Prozent der vom Redner verwendeten Zeit verwendet. Unter diesen Umständen muss der Dolmetscher viele Herausforderungen bewältigen, um innerhalb eines solchen kulturellen Rahmens effizient zu kommunizieren.

3.1.2Anwendbare Kommunikationstheorien

3.1.2.1 Definition von Kommunikation

Die obige Diskussion über den kulturellen Rahmen hat gezeigt, wie wichtig die Beherrschung der Kulturen der an einer Verhandlung beteiligten Sprachen ist, um die Kommunikation zu erleichtern. Es stellt sich die Frage: Was ist Kommunikation"? Kommunikation ist ein Prozess, der zwischen zwei oder mehreren Personen oder Parteien stattfindet, die eine gegenseitig anerkannte Absicht haben, Nachrichten oder Informationen zu teilen und auszutauschen. Die Absicht der Beteiligten besteht darin, sich auf einen Zustand größerer Einheitlichkeit zuzubewegen (Kim und Gudykunst 1988:45). Obwohl das primäre Ziel der beteiligten Parteien darin besteht, eine direkte Kommunikation von Angesicht zu Angesicht zwischen ihnen oder untereinander zu führen, gibt es ein Hindernis: unterschiedliche kulturelle Hintergründe. Dies ist der Fall zwischen Englisch und Moghamo. Infolgedessen wird eine oberflächliche Kenntnis sowohl der moghamoischen als auch der englischen Kultur ein effektives interkulturelles Dolmetschen oder Kommunizieren stark behindern.

3.1.2.2 Theorien der Kommunikation

Der oben erwähnte "kybernetische Prozess der Konvergenz" (ebd.) wird von einer Reihe von Theorien geleitet, die sich in Bezug auf

die Kommunikation nicht gegenseitig ausschließen. In Anlehnung an Sarbaughs Taxonomie werden elf Theorien vorgestellt, die für den Bereich der interkulturellen Kommunikation relevant sind (Kim und Gudykunst 1988:13-15). Diesen Autoren zufolge lassen sich die von den Theorien behandelten Themen grob in drei große Fragen unterteilen: Wie kommunizieren Individuen in verschiedenen Kulturen?;
Wie erleben Individuen interkulturelle Kommunikationsaktivitäten?; und Was sind die wahrscheinlichen Konsequenzen interkultureller Kommunikationserfahrungen? Von den oben genannten Fragen scheinen die erste und die dritte für diese Arbeit wichtiger und bedeutsamer zu sein, insbesondere die letzte Frage nach den "wahrscheinlichen Folgen interkultureller Kommunikation". An dieser Stelle sei angemerkt, dass in dieser Arbeit nur zehn der elf Theorien vorgestellt werden.

3.1.2.2.1 Konstruktivistische Theorie der Kommunikation und Kultur

Diese von Applegate und Sypher aufgestellte Theorie beschreibt die Einflüsse der Kultur auf das individuelle Kommunikationsverhalten. Sie betont die interpretative Natur der Kommunikatoren und die Wechselbeziehung zwischen der Kultur und der kognitiven Konstruktion der Realität durch den Einzelnen.

3.1.2.2.2 Koordiniertes Management von Bedeutung: Eine kritische Theorie

Befürworter dieser Theorie sind Cronen, Chin und Pearce. Es geht um den Interaktionsprozess der "Koordinierung" und des "Managements" der kommunikativen Bedeutung von Individuen. Der Schwerpunkt liegt hier auf der Analyse der Bedeutungsstruktur und der Handlungen einzelner Kommunikatoren, die in interkulturellen Begegnungen auftreten.

3.1.2.2.3 Theorie der kulturellen Identität

Etwas verwandt mit der Theorie der Bedeutungskoordinierung und -verwaltung ist die von Collier und Thomas vorgeschlagene Theorie der kulturellen Identität. Diese Autoren betrachten die kulturelle Identität nicht als durch ein externes Kriterium "festgelegt", sondern als abhängig von der Kommunikationskompetenz der interagierenden Personen. Wenn also ein kultureller Dolmetscher auf einer bestimmten Ebene oder in einem bestimmten Bereich inkompetent ist, wird die Kommunikation beeinträchtigt.

3.1.2.2.4 Theorie der Kommunikationsunterbringung

Es wird davon ausgegangen, dass diese und die beiden folgenden Theorien die psychologischen Reaktionen von Individuen oder Kommunikatoren beeinflussen. Sie befasst sich mit den Mustern des Sprechverhaltens und den kognitiven Zuschreibungen von Personen in interkulturellen Begegnungen. Zu den Verfechtern dieser Theorie gehören Gallois, Franklyn-Stokes, Giles und Coupland.

3.1.2.2.5 Theorie der "Episodenvertretungen

Als Vertreter dieser Theorie liefert Forgas eine Erklärung für intellektuelles Verhalten, die sich auf die kognitiven Aktivitäten von Personen in interkulturellen Begegnungen konzentriert. Genauer gesagt, betont der Autor die subjektiv wahrgenommene Natur einer Situation oder "Kommunikationsepisode".

3.1.2.2.6 Theorie der interkulturellen Konfliktstile

Diese von Ting-Toomey vorgeschlagene Theorie basiert auf dem Kernkonzept der "Face-Negotiation-Theorie", die eine Reihe von Thesen zur Erklärung kultureller Unterschiede in den individuellen Stilen der Bewältigung interkultureller Konflikte enthält.

3.1.2.2.7 Netzwerktheorie der interkulturellen Kommunikation

Diese siebte und die folgenden drei Theorien befassen sich mit den Veränderungen und Anpassungen, die bei Individuen als Folge interkultureller Kommunikationserfahrungen auftreten. Die von Yum vertretene Theorie konzentriert sich auf die strukturellen Merkmale von Beziehungsnetzwerken interkultureller Kommunikatoren und vergleicht sie mit denen interkultureller Netzwerke.

3.1.2.2.8 Theorie der Adaptation in interkulturellen Dyaden

In dem Maße, wie sich das Studium der interkulturellen Kommunikation ausweitet und reift, tauchen neue Themen auf, die die Aufmerksamkeit der Wissenschaftler auf sich ziehen. Adaptation ist ein vorherrschendes Konzept, das in den 1980er Jahren aufkam. Nach Ellingston befasst sich diese Theorie mit den Veränderungen, die Individuen in ihrer affektiven und kognitiven Identität und in ihrem interaktiven Verhalten vornehmen, wenn sie sich mit dem Leben in einer neuen kulturellen Umgebung auseinandersetzen.

3.1.2.2.9 Konvergenztheorie und interkulturelle Kommunikation

Diese von Kincaid vorgeschlagene Theorie zeigt, wie es zu einer größeren Einheitlichkeit zwischen der Einwandererkultur und der Kultur des Gastlandes sowie zu einer größeren Divergenz zwischen der Einwandererkultur und der ursprünglichen Kultur kommen kann.

3.1.2.2.10 Interkulturelle Transformation: Eine Systemtheorie

Auf der Grundlage dieser Theorie erklären Kim und Reuben die allmähliche Veränderung der kognitiven, affektiven und verhaltensbezogenen Eigenschaften des Einzelnen hin zu einem zunehmenden Maß an "Interkulturalität", wenn er seine interkulturellen Kommunikationserfahrungen sammelt. Dabei versuchen die Autoren, die beiden bestehenden Ansätze zu interkulturellen Erfahrungen zu integrieren: den Ansatz

"Interkulturelle Kommunikation als Problem" und den Ansatz "Interkulturelle Kommunikation als Lernen/Wachstum". Mit anderen Worten: Die interkulturelle Transformation ist sowohl negativ als auch positiv für die Geber- und die Empfängerkulturen (Sprachen - Englisch und Moghamo).Aus der vorangegangenen Diskussion über Kommunikationstheorien geht hervor, dass, wie bereits erwähnt, alle zehn Theorien einander einschließen. Da Dolmetschen und Übersetzen miteinander verknüpfte Disziplinen sind, müssen einige Übersetzungstheorien hervorgehoben werden, die sich ebenfalls auf das Dolmetschen oder die Kommunikation von einer Sprache in eine andere auswirken können - insbesondere auf das Dolmetschen von einer Sprache mit breiterer Kommunikation in eine Sprache mit engerer Kommunikation.

3.1.3Übersetzungstheorien

Sowohl das Übersetzen als auch das Dolmetschen sind auf ein Ziel ausgerichtet: Kommunikation. Wie bereits in der Literaturübersicht erwähnt, werden beide zuweilen als "Zwillinge" oder miteinander verbundene Tätigkeiten bezeichnet, daher die Entscheidung, in einer Arbeit dieser Art, die sich auf das Dolmetschen konzentriert, einige Übersetzungstheorien kursorisch zu erörtern. In diesem Sinne wird die Verwendung des Begriffs "Übersetzung" in diesem Abschnitt sowohl das Übersetzen als auch das Dolmetschen implizieren oder bezeichnen. Die gleiche Annahme gilt auch für das Wort "Übersetzer", das sich auf das Wort "Dolmetscher" bezieht, d. h. auf den mündlichen Übersetzer. Eine Übersetzungstheorie gibt dem Übersetzer bei der Wahl der Übersetzungsmethode eine Orientierung und einen Bezugsrahmen. Auch wenn die Möglichkeit der Übersetzung heute mehr oder weniger einhellig anerkannt ist, gilt dies nicht für die Übersetzungsmethoden, die nach wie vor vielfältig und manchmal polemisch sind. Zu den für diese Arbeit wichtigen Theorien gehören die interpretative, die linguistische, die kommunikative, die semantische und die sozio-semantische. Jede Theorie dient einem bestimmten Zweck, obwohl alle oben genannten Theorien sich gegenseitig ergänzen. Eine Mischung dieser Theorien muss zu angemessenen und akzeptablen Ergebnissen führen, um erfolgreich zu sein.

3.1.3.1 Interpretative Theorie der Übersetzung

Der interpretative Ansatz, manchmal auch "Auslegungsansatz" genannt, wird auch als "Theorie des Sinns" bezeichnet. Zu den Vertretern dieser Theorie gehören Marianne Lederer, Danica Seleskovitch, F. Herbulot, Jean Delisle und Maurice Pergnier. Es handelt sich um einen Ansatz für das Dolmetschen und Übersetzen, der von der "Pariser Schule" übernommen wurde. Die Hauptvertreterin der "Pariser Schule", Danica Seleskovitch, entwickelte eine Theorie (1977), die auf der Unterscheidung zwischen sprachlicher Bedeutung und nonverbalem Sinn beruht. Der nonverbale Sinn wird in Bezug auf den Übersetzungsprozess definiert, der aus drei Phasen besteht: Interpretation oder Exegese des Diskurses, De-Verbalisierung und Reformulierung. Dies gilt auch für den Dolmetschprozess, obwohl diese Phasen innerhalb von Sekundenbruchteilen ablaufen müssen, da der Dolmetscher nur wenig Zeit zum Zuhören, Verstehen, Umformulieren und Übertragen hat. Die Gemeinsamkeit zwischen Übersetzen und Dolmetschen wird von Seleskovitch (1980:40) bekräftigt, der behauptet, dass das Ergebnis sowohl beim Übersetzen als auch beim Dolmetschen das gleiche ist. Die Dolmetschertheorie wurde in den späten 1960er Jahren auf der Grundlage von Forschungsarbeiten zum Konferenzdolmetschen entwickelt. Später wurde sie auf die schriftliche Übersetzung nicht-literarischer oder "pragmatischer" Texte und auf die Lehre des Übersetzens und Dolmetschens ausgedehnt (Salama-Carr 2001:112). Die Anhänger dieser Denkschule vertreten die Auffassung, dass die Wörter einer Sprache nicht zählen. Was wirklich zählt, ist die Bedeutung, und sie lehnen das Konzept der Wiedergabetreue ab. Die Betonung liegt auf dem Zielleser, auf der Klarheit und Verständlichkeit der Übersetzung und ihrer Akzeptanz in der Zielkultur.

3.1.3.2 Linguistische Theorie der Übersetzung

Linguistik ist eine akademische Disziplin, die sich mit Sprache beschäftigt. An einer Übersetzung sind immer mindestens zwei verschiedene Sprachen beteiligt. Folglich sollten sich Fragen der Übersetzung auf die Besonderheiten der Ausgangs- und der Zielsprache konzentrieren. Im Mittelpunkt der linguistischen Theorie steht die Sprache, und einige ihrer frühesten Vertreter sind Vinay und Darbelnet (1958), Nida (1964), Catford (1965) und Larson (1984). Linguisten haben erkannt, dass Übersetzung ein dynamischer Vergleich von Sprachen in Aktion ist, der neue Einblicke in die Funktionsweise von Sprachen in der Sprache ermöglicht und viele ihrer universellen und spezifischen Merkmale offenbart. Linguistische Theoretiker bestehen auf der genauen Übertragung von Inhalten aus der Ausgangssprache (SL) in die Zielsprache (TL), obwohl beim Übersetzen oder Dolmetschen von einer SL in eine andere TL zwangsläufig Unterschiede bestehen. Das Konzept der Äquivalenz ist für die linguistische Theorie von größter Bedeutung. Catford (1965:40) bestätigt diese Sichtweise, wenn er Übersetzung definiert als: "Die Ersetzung von Textmaterial in einer Sprache (SL) durch gleichwertiges Textmaterial in einer anderen Sprache (TL).

3.1.3.3 Semantische und kommunikative Theorien der Übersetzung

Peter Newmark (1988) stellt fest, dass es im Wesentlichen zwei Schulen der Übersetzung gibt, nämlich die "semantische Übersetzung" und die "kommunikative Übersetzung". Jede der beiden Denkschulen stellt eine Vielzahl von Überlegungen an, die bei der Übersetzung in den Vordergrund gestellt werden sollten. Im Wesentlichen konzentriert sich die semantische Übersetzung auf den semantischen Inhalt des Ausgangstextes, während sich die kommunikative Übersetzung auf das Verständnis und die Reaktion des Empfängers konzentriert. Kurz gesagt, bei der kommunikativen Übersetzung besteht das Ziel des Übersetzers darin, sicherzustellen, dass das Zielpublikum auf die Botschaft ähnlich reagiert wie das

Ausgangspublikum oder die Rezeptoren. Newmark (1988:39) unterstreicht diesen Punkt wie folgt: "Die kommunikative Übersetzung versucht, bei ihren Lesern eine Wirkung zu erzielen, die derjenigen, die bei den Lesern des Originals erzielt wird, so nahe wie möglich kommt". Dies gilt auch für Dolmetscher, die von einer Ausgangsbotschaft auf eine Zielbotschaft übertragen.

3.1.3.4 Sozio-semantische Theorie der Übersetzung

Im Mittelpunkt einer sozio-semantischen Perspektive auf die Übersetzung steht die Vielfalt der Codes, die an jedem Kommunikationsprozess beteiligt sind. So stellt Nida (1991:26) fest, dass "Wörter niemals ohne zusätzliche paralinguistische Merkmale auftreten". Er führt weiter aus, dass Menschen, die einem Sprecher zuhören, nicht nur die verbale Botschaft aufnehmen, sondern auf der Grundlage von Hintergrundinformationen und verschiedenen außersprachlichen Codes Urteile über die Aufrichtigkeit des Sprechers, sein Engagement für die Wahrheit, seine Lernbereitschaft, sein Fachwissen, seinen ethnischen Hintergrund, seine Sorge um andere Menschen und seine persönliche Attraktivität fällen. Studien zum sozio-semiotischen Ansatz haben gezeigt, dass "Sprache nicht als kognitives Konstrukt, sondern als eine gemeinsame Reihe von Gewohnheiten betrachtet werden muss, die die Stimme zur Kommunikation nutzen". Ebenso muss "Sprache als potenziell und tatsächlich idiosynkratisch und sozio-semiotisch in dem Sinne betrachtet werden, dass Menschen neue Ausdrucksformen schaffen, neue literarische Formen konstruieren und älteren Ausdrucksformen neue Bedeutung beimessen können". Der Vorteil des sozio-semiotischen Ansatzes beim Übersetzen besteht darin, dass er die reale Situation hervorhebt und die verbale Kreativität, die Plastizität der Sprache und die Vielfalt der Codes berücksichtigt. Aus der vorangegangenen Erörterung einiger Übersetzungstheorien geht hervor, dass Zuhören, Verstehen, Umformulierung und Übermittlung zwar innerhalb von Sekundenbruchteilen stattfinden, die oben genannten Theorien aber auch die von einem Dolmetscher geleistete Kommunikation beeinflussen. Neben den dolmetscherischen, linguistischen, semantischen, kommunikativen und sozio-semiotischen Theorien haben auch sozio-linguistische und ethno-semantische Theorien einen großen Einfluss auf die Psyche des Dolmetschers, bevor das Endprodukt an das Publikum übermittelt wird. Es ist zu betonen, dass alle mentalen Aktivitäten im Gehirn des Dolmetschers nicht problemlos sind. Die Probleme oder Herausforderungen werden sogar noch größer, wenn man in oder aus Sprachen mit unterschiedlichem Entwicklungsstand dolmetscht. So kann das Dolmetschen aus einer sprachlich entwickelten Sprache wie Englisch in eine sprachlich weniger entwickelte indigene Sprache wie Moghamo sogar noch schwieriger werden. Mit anderen Worten: Das Dolmetschen aus oder in Sprachen, die sprachlich weit voneinander entfernt sind, bleibt eine schwierige Aufgabe.

3.1.4 Linguistische Distanz in der Kommunikation

Die europäischen Sprachen und die einheimischen afrikanischen Sprachen sind zwei unterschiedliche und weit voneinander entfernte Sprachensysteme. Dies gilt natürlich für Englisch (europäischer Hintergrund) und Moghamo (afrikanischer Hintergrund). Beide Sprachumgebungen unterscheiden sich auf vielen Ebenen erheblich: kulturell, soziologisch, sprachlich, semantisch und so weiter. Aus diesem Grund offenbart jeder europäische Diskurs die geistige, emotionale, kulturelle und ethnische Besonderheit der Europäer. Dies ist auch bei einem Diskurs in einer afrikanischen Muttersprache nicht anders. Um erfolgreich aus einer LWC in eine LNC zu übersetzen, muss der Dolmetscher daher in der Lage sein, kulturgebundene, strukturgebundene und zeitlich-traditionelle Elemente im Ausgangstext zu erkennen und zu unterscheiden und sie in der Zielsprache angemessen auszudrücken. Durch diese Fähigkeit wird der Übersetzer eine Wiedergabe des Ausgangstextes erstellen, die nach Nida "der Empfängersprache und -kultur als Ganzes, dem Kontext einer bestimmten Botschaft und dem Publikum der Empfängersprache entspricht" (Ojo 1986:293). Damit der Übersetzungs- oder Dolmetschprozess zu einem erfolgreichen Ergebnis führt, muss er eine "Neustrukturierung des kulturellen

Zeichensystems" durchlaufen. Ojo (a.a.O.) ist der Ansicht, dass die Umstrukturierung der Zeichen von einem gründlichen Verständnis der Denkmuster und der strukturellen und grammatikalischen Systeme der kontaktierten Sprache begleitet werden muss, um dies effektiv zu erreichen. Er fügt hinzu, dass die Umstrukturierung auch von einer sorgfältigen und begründeten Wahrnehmung der linguistischen und metasprachlichen Repräsentationsebenen jeder der konfrontierten Sprachen begleitet sein muss. Alles, was dem nicht entspricht, führt zu Unzulänglichkeiten, die unweigerlich dazu führen, dass die Ausgangskommunikation durch Überinterpretation (übermäßige Kommentare, Erklärungen, Interpretationen und Auffüllungen), durch Unterinterpretation (Paraphrase, Anpassung) und durch Fehlinterpretation (Heuler, Fehler, Ausrutscher oder absichtliche Umformung) zerstört wird (Ojo 1986:292). Nichtsdestotrotz ist der Dolmetscher manchmal gezwungen, die Botschaft zu paraphrasieren und an die Kultur des Empfängers anzupassen, vorausgesetzt, die Botschaft wird nicht verfälscht. Es sollte noch einmal betont werden, dass ein Afrikaner, unabhängig vom Grad der Exposition und der intellektuellen Erfahrung eines Dolmetschers oder Übersetzers, mit seinem "Kopf und seinen Ohren ... auf den Rhythmus und die Ausdrücke seiner einheimischen Sprache eingestellt" bleibt. Er mag sich bewusst bemühen, mit den sprachlichen Entwicklungen in den europäischen Kulturen Schritt zu halten, er mag z. B. in Englisch denken, aber er wird immer als Afrikaner schreiben oder sprechen. In Bezug auf afrikanische indigene Sprachen, die jedoch auch für andere indigene Sprachen gelten, führt Ojo diesen Standpunkt weiter aus: Tatsache ist, dass der afrikanische Schriftsteller, obwohl er durch seine Bildung und intellektuelle Erfahrung ein großstädtisches literarisches Erbe erworben und die Grundlagen einer europäischen Sprache beherrscht hat, seinen Kopf und seine Ohren auf den Rhythmus und die Ausdrucksweise seiner indigenen Sprache eingestellt hat, die er (wie Tutuola, Ousmane, Kourouma und sogar Soyinka) transliteriert (Ojo 1986:295).

Es ist erwiesen, dass ein afrikanischer Dolmetscher/Übersetzer, der eine europäische Sprache (LWC) in Ansätzen beherrscht, bei der Übertragung in eine einheimische afrikanische Sprache (LNC) auf

Hürden stößt, wobei der Grad der Beherrschung die Art und/oder das Ausmaß dieser Herausforderungen bestimmen kann. Vor dem Hintergrund des oben beschriebenen theoretischen Rahmens zu Kultur, Kommunikation, Übersetzung und sprachlicher Distanz ist es notwendig, die Methode und das Verfahren der Datenanalyse zu erörtern. Bevor wir uns dem verfahrenstechnischen Rahmen zuwenden, sei noch einmal darauf hingewiesen, dass sich die oben genannten Theorien und das Konzept der sprachlichen Distanz nicht gegenseitig ausschließen.

3.1 Verfahrenstechnischer Rahmen

Der zweite Hauptteil dieses Kapitels befasst sich mit dem Verfahren oder der Methode, die für die Datenerhebung und -analyse verwendet wurde. Er konzentriert sich auch auf die verwendeten Forschungsinstrumente, die Informanten, die Orte der Datenerhebung und die Datenanalyse.

3.2.1 Aufbau und Beschreibung der Instrumente

Für Dolmetscher und andere Informanten wurde ein Satz von 22 Fragen entworfen. Neben der Befragung setzte der Forscher auch die teilnehmende Beobachtung ein. Schließlich wurden auch Recherchen in Bibliotheken und im Internet durchgeführt.

3.2.1.1 Interviews

Die oben genannten Fragen dienten als Anregung für die Befragung von Englisch-Moghamo-Dolmetschern, Zuhörern und anderen Personen, die für die Forschungsarbeit benötigt wurden. Auf diese Weise konnte der Forscher Informationen über verschiedene Aspekte wie den Gebrauch von Englisch, Moghamo und anderen Sprachen in Moghamo, sprachliche Interferenzen, die Arbeit des Dolmetschens und sogar die Geschichte sammeln. Der Grund dafür, diese Fragen als Aufforderungen zu bezeichnen, war, dass sie in der Regel andere

Fragen nach sich ziehen, die ursprünglich nicht vorgesehen waren.

3.2.1.2 Interviews durchführen

Die Interviews wurden an verschiedenen Orten durchgeführt: in Kirchen, Privathäusern und Krankenhäusern. Die Wahl von Privathäusern hing damit zusammen, dass es dem Forscher nicht möglich war, mit einigen Dolmetschern, die ihren Beruf in Kirchen oder öffentlichen Versammlungen ausüben, in Kontakt zu kommen. Daher musste der Forscher sie nach Möglichkeit treffen, um mit ihnen über ihren "Beruf" als Dolmetscher zu sprechen. Die 22 Fragen, die als Gesprächsleitfaden dienten, wurden von der ersten bis zur letzten Frage in gleicher Weise gestellt und die Antworten schriftlich festgehalten.

3.2.1.3 Teilnehmende Beobachtung

Für die Aufzeichnung der Predigten und manchmal auch der Interviews wurden ein Aufnahmegerät und Tonbänder vorbereitet. Während der Predigten machte sich der Forscher zusätzlich zu den Aufnahmen Notizen. Dies geschah in den Gottesdiensten, an denen er teilnahm. Neben den Predigten, die der Forscher persönlich aufzeichnete, wurden andere in seiner Abwesenheit von einer zu diesem Zweck beauftragten Person aufgezeichnet. Die Beobachtung ermöglichte es dem Forscher, einige Herausforderungen zu erkennen, mit denen natürliche Dolmetscher konfrontiert sind. Einige der Probleme, mit denen diese Dolmetscher konfrontiert sind, halfen dem Forscher sogar dabei, einige Fragen umzuformulieren oder den schriftlichen Fragen hinzuzufügen.

3.2.1.4 Bibliothek und Internetrecherche

Außerdem wurden Recherchen in einigen Bibliotheken durchgeführt, darunter die Alliance Franco Camerounaise Buea, die SIL-Regionalbibliothek Bamenda und die Bibliothek der Universität Buea. Die Bibliothek des Batibo-Rates und das Nationalarchiv in Buea wurden ebenfalls konsultiert, um Informationen über Moghamo zu erhalten. Die oben genannten Bibliotheken und das Internet wurden konsultiert, um Daten zu Aspekten wie Dolmetschen, Verdolmetschung, Übersetzung, Moghamo und Sprache zu sammeln.

3.2.2 Beschreibung der Informanten

Es wurden drei Kategorien von Informanten herangezogen: natürliche Dolmetscher, Rezipienten, Publikum und medizinisches Personal.

3.2.2.1 Dolmetscher

Dolmetscher sind die Dreh- und Angelpunkte dieser Forschungsarbeit. Die Anzahl der kontaktierten Personen hing von ihrer Verfügbarkeit und sogar von ihrer Nähe ab. In Anbetracht der Weite und Abgeschiedenheit einiger Dörfer war es dem Forscher nicht möglich, innerhalb des für die Datenerhebung vorgesehenen Zeitrahmens die gesamte Batibo-Subdivision zu bereisen. Ein weiteres Problem bestand darin, dass die meisten Dolmetscheinsätze an Sonntagen oder bei besonderen Anlässen (auch wenn diese selten sind) stattfanden, an denen Personen mit zwei oder mehr sprachlichen Hintergründen beteiligt waren. Die ausgewählten natürlichen Dolmetscher unterscheiden sich in Alter und Geschlecht. Unter den Befragten befinden sich zwei Frauen und acht Männer. Die Kluft zwischen der Zahl der männlichen und der weiblichen Dolmetscher ist darauf zurückzuführen, dass in letzter Zeit das Dolmetschen in den Kirchen vor allem den Männern vorbehalten war. Diese Praxis ist in katholischen Kirchengemeinden durchaus üblich. Das Alter der befragten Dolmetscher liegt zwischen Ende 20 und Ende 60.

3.2.2.2 Rezeptoren/Publikum

Das Publikum bezieht sich hier auf diejenigen, die von den Dolmetschleistungen profitieren. Im Falle der Kirchen handelt es sich um Gläubige oder Christen, während es in Krankenhäusern um die

Patienten geht. Das Ziel war es, herauszufinden, wie gut sie solche Dienste empfangen oder sich dabei fühlen. Mit anderen Worten, es geht darum, herauszufinden, ob die Botschaft gut oder schlecht aufgenommen wurde.

3.2.2.3 Medizinisches Personal

Nur zwei Personen, die nicht aus Moghamo stammen, wurden im Laufe der Untersuchung kontaktiert: eine im Saint John of God Health Centre und eine weitere im Batibo Integrated Health Centre. Wie bereits erwähnt, wurde die Auswahl dadurch begründet, dass es sich um Ausländer handelt, die täglich mit Patienten zu tun haben, deren einzige Kommunikationssprache Moghamo ist. Daher war es notwendig zu untersuchen, wie es ihnen gelingt, mit ihnen zu kommunizieren, bevor sie Medikamente verschreiben.

3.2.3 Orte der Datenerhebung

Die Studie wurde in drei verschiedenen Einrichtungen durchgeführt, insbesondere in Kirchen, Krankenhäusern und Gerichten. Von den besuchten Kirchengemeinden gehörten zwei zur Presbyterianischen Kirche in Kamerun (PCC): Presbyterianische Kirche Nyenjei und Presbyterianische Kirche Bessi. Die Auswahl dieser Gemeinden hing von der Verfügbarkeit von Dolmetschern ab, die zum Zeitpunkt der Untersuchung vom Englischen und/oder Pidgin-Englisch (LWC) ins Moghamo (LNC) dolmetschen. Neben den oben erwähnten Gemeinden, an denen der Forscher live teilnahm, wurden auch andere Denominationen und Gemeinden kontaktiert, wenn auch manchmal in Abwesenheit des Forschers. Diese Konfessionen waren die PC Mbunjei, die Apostolic Church Mbunjei und die Saint Sebastian Catholic Church Batibo. Mit Ausnahme der PC Bessi befinden sich die anderen Gemeinden entlang des Transafrikanischen Highways, der durch Moghamo führt. Der Forscher wollte das Gericht erster Instanz in Batibo besuchen, doch leider wurde er von einem pensionierten Dolmetscher darüber informiert, dass der Zutritt zum Gericht für die Aufnahme von Gerichtsverhandlungen verboten ist. So blieb dem

Forscher nur die Möglichkeit, von dem pensionierten Dolmetscher zu erfahren, wie das Dolmetschen bei Gericht abläuft. Dieser wurde in seiner Wohnung neben dem Batibo Motor Park befragt.

3.2.4 Datenanalyse

Der Kern des Dolmetschens ist die effektive Kommunikation. Damit eine effektive Kommunikation stattfinden kann, muss die Sprache richtig eingesetzt werden. Aus diesem Grund wurden die Bänder, nachdem sie gesammelt worden waren, abgespielt und angehört. Ziel war es, die für die Studie benötigten Informationen zu notieren und später zu vertiefen. Die gesammelten Daten wurden dann auf der Grundlage einiger wichtiger linguistischer Bereiche analysiert: Phonologie, Semantik, Morphologie und Lexikologie. In Anbetracht der Tatsache, dass das Hauptinstrument dieser Arbeit der qualitative Ansatz ist, der darauf abzielt, systematisch zu untersuchen und zu beschreiben, was in dem Bereich vorherrscht, hat der Forscher eine Analyse der Daten in Bezug auf jeden der oben genannten Bereiche durchgeführt. Nach der Darstellung des theoretischen Rahmens und der Methodik, die in dieser Arbeit verwendet werden, wird im nächsten Kapitel der Schwerpunkt auf die Untersuchung des geografischen, historischen, religiösen, soziopolitischen und sprachlichen Umfelds von Moghamo gelegt.

KAPITEL IV

MOGHAMO IN KAMERUN

4.0 Einführung

Nach der Literaturübersicht und dem methodischen und verfahrenstechnischen Rahmen, die in den Kapiteln zwei und drei vorgestellt wurden, konzentriert sich dieses Kapitel auf die Untersuchung des Kontextes: geografisches, historisch-religiöses Umfeld, sozio-politische Situation und sprachliche Geografie von Moghamo. Bei der Geografie liegt der Schwerpunkt sowohl auf der Lage als auch auf der Humangeografie dieses Gebiets. Was die historisch-religiöse Landschaft betrifft, so liegt das Augenmerk auf dem Ursprung, der Zusammensetzung und dem Aufkommen der Missionare in Moghamo. Die Sprachgeografie schließlich stellt die sprachliche Situation dar, untersucht die Klassifizierung, die Dialektologie, die Beziehung zwischen Moghamo und anderen Sprachen sowie die Mehrsprachigkeit in Moghamo. Die meisten der nachstehenden Informationen über die Geographie von Moghamo stammen von Njang (2001).

4.1 Geographie

Im Rahmen der Geografie werden in dieser Arbeit zwei Aspekte behandelt, nämlich die geografische Lage und die Humangeografie.

4.1.1 Geografischer Standort

Moghamo ist eine Gemeinde mit zweiundzwanzig Dörfern im Verwaltungsbezirk Batibo in der Division Momo. Sie liegt etwa 43 Kilometer von Bamenda, dem regionalen Hauptsitz der Nordwestregion, entfernt (siehe Karten I und II). Sie hat eine gemeinsame Grenze mit der Unterdivision Mbengwi im Norden, den Unterdivisionen Bali und Pinyin im Westen, der Division Manyu im Süden und schließlich der Unterdivision Widikum und einem Teil von

Manyu im Osten. Dieser Clan erstreckt sich über eine Fläche von 728 Quadratkilometern (Samah 2004:4) Nach Ngwa (1977:120) liegt Moghamo in der südlichen Ecke der Waldzone des oberen Cross River-Beckens. Als solches gilt es als Übergangszone zwischen dem dichten Äquatorialwald im Südwesten von Bamenda und liegt zwischen den Längengraden 4° 95' und 5° 45' Nord und den Breitengraden 10° 10 und 10° 30 Ost (siehe Karte III). Die niedrige Hochebene ist eine Fortsetzung des kamerunischen Grünwaldes. Die oben genannten Nachbarn und ihre Sprachen, insbesondere das Englische, haben sich auf die eine oder andere Weise auf die Kultur der Moghamo ausgewirkt, insbesondere auf die Sprache, wie in Kapitel 5 beschrieben. Die Dichte und Kargheit des Waldes wirkt sich ebenfalls auf das Siedlungsmuster in diesem Gebiet aus.

Karte I: Kamerun mit dem Untersuchungsgebiet

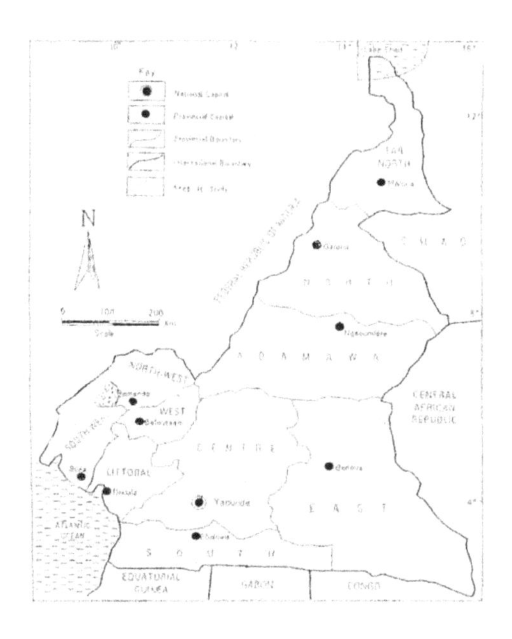

QUELLE: Angepasst von Njang (2001)

Karte II: Die Lage von Moghamo im Nordwesten von Kamerun

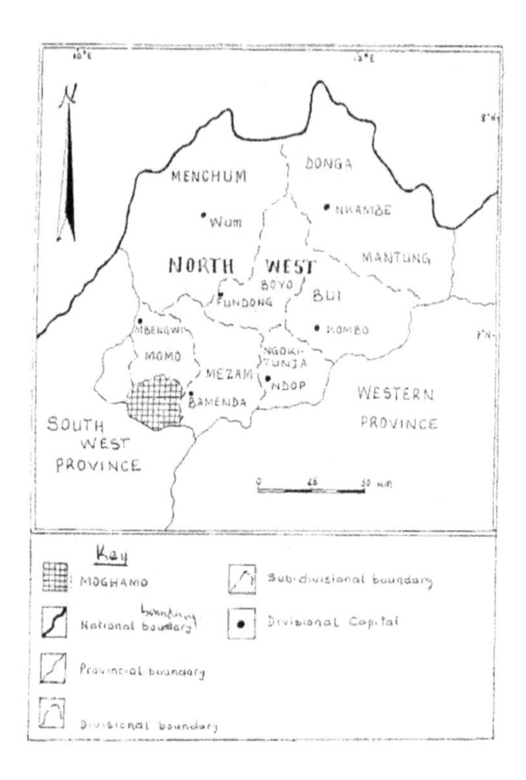

Quelle: Angepasst von Njang (2001)

4.1.2 Humangeographie

Nach den oben genannten Informationen über die physische Geographie von Moghamo ist es notwendig, sich ein Bild von der Humangeographie zu machen. Zu diesem Zweck werden drei Aspekte untersucht, nämlich Bevölkerung, Siedlung und Landwirtschaft.

4.1.2.1 Zusammensetzung der Bevölkerung

Die Bevölkerung der Sub-Division Batibo belief sich nach den Ergebnissen der Volkszählung von 1992 auf etwa 43.332 Personen. Diese Angaben zur Bevölkerung von Moghamo haben sich rund sechzehn Jahre nach der letzten Volkszählung sicherlich geändert. Obwohl die Bevölkerung sicherlich zugenommen hat, ist sicher, dass die Zahl der Moghamo-Sprecher weniger als 100 000 beträgt, was dazu führt, dass Moghamo auf der Liste der "gefährdeten kamerunischen Sprachen" steht (Chia, 2006:115-128). Die sehr ländliche und ungleichmäßig verteilte Bevölkerung ist über eine Fläche von 728 Quadratkilometern verstreut, was eine Bevölkerungsdichte von 59 Personen pro Quadratkilometer ergibt. Zu den dicht besiedelten Dörfern mit rund 80 Einwohnern pro Kilometer gehören Batibo, Guzang, Bessi, Ashong und Ambo. Obwohl die Region derzeit nicht nur von einheimischen Moghamoern bewohnt wird, machen diese rund 98 % der Bevölkerung aus. Wie bereits erwähnt, wirkt sich die Anwesenheit der Nicht-Eingeborenen auf die Sprache aus, was sich in der Bevorzugung von Pidgin-Englisch anstelle von Moghamo zeigt, um die Kommunikation zu erleichtern.

4.1.2.2 Menschliche Siedlungen

Die Siedlungsstruktur in Moghamo besteht im Wesentlichen aus großen Dörfern. Es lassen sich drei Arten von Siedlungen unterscheiden: Streusiedlungen, lineare Siedlungen und Kernsiedlungen. Alle diese Siedlungsformen werden durch Faktoren wie Relief, Bodenfruchtbarkeit, Straßen, Wasserwege, Märkte und neuerdings auch durch die Politik der Regierung beeinflusst: Streusiedlungen sind typisch für Waldgebiete und Hochebenen, wo das Relief manchmal schwierig ist. Die lineare Siedlung ist ein Typ, bei dem sich die Menschen entlang von Straßen und Wasserwegen niederlassen, um die Kommunikation zu erleichtern bzw. Zugang zu Wasser zu haben. Die dritte Siedlungsform, die Kernsiedlung, findet sich in verschiedenen Dörfern, vor allem in der Nähe von Märkten, und die gegenwärtigen Trends zeigen, dass sich die Siedlungsmuster allmählich von der Streusiedlung zur linearen und Kernsiedlung verlagern. Dies ist eine Folge der Einführung von Einrichtungen wie modernen Straßen, Elektrizität, Leitungswasser, Gesundheitszentren und Schulen. Dieser Trend führt dazu, dass immer mehr Einheimische mit Menschen in Kontakt kommen, die kein Moghamo sprechen, und somit den Drang verspüren, ein einfacheres Kommunikationsmittel, nämlich Pidgin-Englisch, zu verwenden. Darüber hinaus hat die Teerung der Straße Bamenda-Batibo um 1999 mehr Menschen an diese Straße gezogen und zu einem Zustrom vieler Ausländer nach Moghamo geführt; die Folgen für die Sprache sind offensichtlich.

4.2 Historisch-religiöse Landschaft

Die historisch-religiöse Landschaft konzentriert sich auf sechs Hauptaspekte: Ursprung von Moghamo, Zusammensetzung von Moghamo, Metta oder Moghamo?, Beziehung zwischen Moghamo und seinen Nachbarn, religiöser Glaube und Praktiken in Moghamo und Ankunft des ersten Weißen Mannes in Moghamo.

4.2.1 Herkunft von Moghamo

Nach Njang (2001:16) ist Moghamo einer der fünf Clans, die das bilden, was verwirrenderweise als "Widikums" oder "Tadkons" bezeichnet wird. Zu den anderen vier Clans gehören Menemo (Metta), Ngemba, Ngie und Ngwo. Diese Clans, die alle in der Momo-Division angesiedelt sind (mit Ausnahme von Ngemba), haben alle gemeinsame sprachliche, kulturelle oder gewohnheitsmäßige Merkmale. Sie alle räumen ein, dass sie einen gemeinsamen Ursprung haben. Was ist jedoch der wahre Ursprung von Moghamo? Stammt dieser Clan von Widikum oder Tadkon ab? Die Moghamoaner und ihre Schwesterclans bezeichnen sich selbst oft als Mitglieder des Widikum-Stammes. Tatsächlich sind sich die Historiker noch nicht über den genauen Ursprung der Moghamo einig. Forkwa (2007:10) gibt an, dass die Reise nach Tadkon im nigerianischen Bundesstaat Bauchi begann, genauer gesagt in einem Ort namens Mbourikum. Die Migranten ließen sich dann in Widikum nieder, von wo aus sie dann nach Tadkon zogen. Nichtsdestotrotz behauptet der oben genannte Clan, dass Widikum an der Grenze zwischen Momo und Manyu der Ort ist, von dem aus sie eingewandert sind. Fanso seinerseits (1989: zitiert von Njang, 2001:16) stellt fest, dass die meisten von ihnen ihre Wiege in Tadkon haben, das etwa drei Kilometer südlich des Zentrums von Moghamo liegt. Mbah (1983:1-3) legt sehr überzeugende Argumente zu den Ursprüngen von Moghamo vor. Er beginnt mit der Darstellung des durch mündliche Überlieferung überlieferten Mythos, wonach die Urväter der Moghamoaner, Tembeka und Tekumaka, in Tadkon der Erde entstiegen sind. Diesem Mythos zufolge verwandelten sich der Mann und seine Frau zunächst in einen "Geist" und dann in Menschen. Nach Ansicht von Mbah ist diese Vorstellung nicht realistisch und steht im Widerspruch zur Theorie der menschlichen Evolution. Er erklärt, dass Tembeka und Tekumaka der Bantu-Wanderungswelle entstiegen sind und sich dann in Tadkon niederließen. Der Ort hieß ursprünglich Tad, das später zu einem Marktzentrum wurde. Mbah argumentiert weiter, dass einige Elemente aus Widikum, die unter der britischen Kolonialverwaltung arbeiteten, diese "widersprüchliche, falsche und verzerrte Vorstellung", dass Moghamo aus Widikum stamme, dokumentierten und verbreiteten (Njang 2001:17). Er behauptet weiter, dass Widikum selbst aus Tadkon hervorgegangen ist. Der Grund dafür ist, dass die ersten Siedler, Tewire und Tikum (nach denen Widikum benannt wurde), Enkel von Tembeka, dem Gründer von Tadkon, waren. Es ist anzumerken, dass Widikum zuerst Tewirekum war. Aus den obigen widersprüchlichen Ansichten lässt sich schließen, dass Moghamo von Tadkon und nicht von Widikum abstammt. Denn die Argumente von Mbah Hansel scheinen am überzeugendsten. Was den Ursprung der Dörfer an sich betrifft, so brachten Tembeka und seine Frau Tekumaka eine Schar von Kindern zur Welt, die sich nach und nach und in aufeinanderfolgenden Generationen ausbreiteten und die zweiundzwanzig oben genannten Dörfer gründeten. Der Name

"Moghamo" geht auf eine Redewendung in der Volkssprache zurück: "Mo gha mo ...", was so viel bedeutet wie "Ich habe gesagt ..." Es sei darauf hingewiesen, dass nicht alle diese Dörfer aus Moghamo hervorgegangen sind. Dörfer wie Kuruku, Angie, Enwen und Tiben verdanken ihren Ursprung Fumbe in der Manyu Division. Die übrigen Dörfer sind zu unterschiedlichen Zeiten aus Moghamo hervorgegangen. Diese unterschiedlichen Ursprünge haben auch Auswirkungen auf die verfügbaren Sprachformen von Moghamo.

4.2.2 Zusammensetzung von Moghamo

Moghamo, auch bekannt als Batibo Sub-Division, besteht im Wesentlichen aus Menschen der ethnischen Gruppe der Widikum". Sie erstreckt sich über zweiundzwanzig Dörfer: Ambo, Angie, Anong, Ashong, Batibo, Bessi, Bessom, Efah, Enwen, Enyoh, Ewai, Guzang, Kurgwe, Kulabei, Kuruku, Mbenkok, Mbunjei, Ngen-Muwah, Numben, Nyenjei, Oshum und Tiben (Karte III). Jedes dieser Dörfer wird von einem "Fon" regiert, der in Moghamo auch "Atta" oder "Nek" genannt wird und im Allgemeinen großen Respekt genießt. Im Jahr 1889 stellte Zintgraff fest, dass der Fon "mit äußerem Respekt behandelt wird und die Menschen in seiner Gegenwart leise sprechen" (Chilver 1966:1). Es ist anzumerken, dass das Amt des Fon in der gesamten Graslandregion erblich ist und niemals durch Wahlen vergeben wird.

Karte III: Die Dörfer von Moghamo

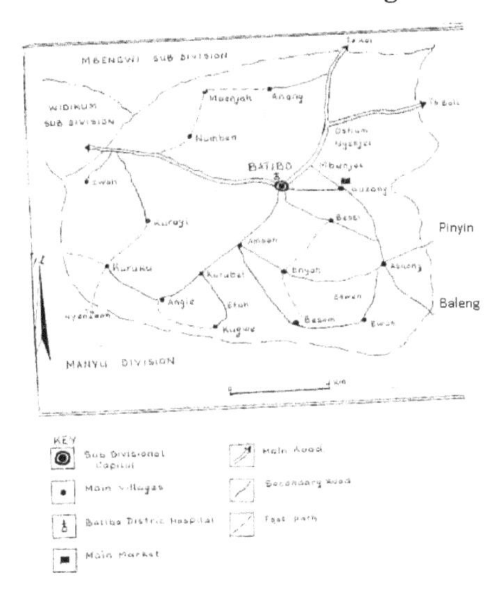

Quelle: Angepasst von Njang (2001)

4.2.2.1 Soziopolitische Zusammensetzung von Moghamo

Das Moghamo-Land ist, wie bereits erwähnt, eine Föderation von Fons, die viel Macht ausüben. Jedes der Fondoms ist, wie anderswo im Bamenda-Grasland in der Nordwestregion Kameruns, stark zentralisiert. Der Fon wird in der Regel von "Bahs" oder Viertelchefs unterstützt, die ihm bei der Verwaltung des Dorfes helfen. Darüber hinaus gibt es "Nchindas" oder "Diener", die verschiedene Aufgaben übernehmen, z. B. Botengänge für den Fon erledigen, für seine Sicherheit sorgen, die Umsetzung von Entscheidungen sicherstellen und sogar nach wichtigen Informationen spionieren. Es gibt noch eine weitere Klasse von Dienern, die über eine gewisse spirituelle Macht verfügen. Diese Menschen gehören einem Geheimbund an, der als "Ngumba" oder "Nebfuh" bekannt ist. Die Mitgliedschaft in diesem "mystischen Kult" ist den Fon, den Königsmachern, den traditionellen Ärzten und den Spiritualisten vorbehalten und wird nur Männern gewährt, die nach einem Initiationsritus aufgenommen werden. Das wichtigste Rechtsprechungsorgan ist der Dorfrat, dem in der Regel der Fon vorsteht, der zusammen mit den Vorstehern der Viertel und den Notabeln Entscheidungen für das Gemeinwohl des gesamten Dorfes trifft. Die am Ende der Beratungen gefassten Beschlüsse sind endgültig und werden von allen Dorfbewohnern ernst genommen (Njang 2001:34-35).

4.2.3 Metta oder Moghamo?

Aus den obigen Erläuterungen zur Geschichte von Moghamo geht hervor, dass Metta, Ngemba, Ngie und Ngwo Clans mit demselben Ursprung sind. Daher sollte Moghamo nicht fälschlicherweise als Metta bezeichnet werden, wie es im Allgemeinen der Fall ist. Letztere, die auch als Menemo bekannt ist, befindet sich nämlich in einem anderen geografischen Gebiet, der Mbengwi Sub-Division. Wie bereits erwähnt, liegt Moghamo in der Batibo Sub-Division. Daher sind beide Regionen nicht zu verwechseln mit demselben geografischen Gebiet, in dem dieselbe Sprache gesprochen wird. Die Sprache der Metta-Eingeborenen wird als Metta oder Menemo bezeichnet, während die Sprache der Moghamoaner Moghamo heißt. Ähnlichkeit in der Sprache bedeutet nicht Gleichheit in der Sprache oder im Clan.

4.2.4 Beziehungen zwischen Moghamo und ihren Nachbarn

Die im Allgemeinen friedliebenden und gastfreundlichen Moghamoer gehen ohne Diskriminierung mit allen ihren Nachbarn um. In Moghamo gibt es einen sehr großen Markt, den Guzang, auf dem diese Nachbarn und Händler aus allen Ecken und Enden an Markttagen zusammenkommen.

Da diese Händler einen unterschiedlichen sprachlichen und kulturellen Hintergrund haben, kommunizieren die einheimischen Moghamo-Händler zwangsläufig in (Pidgin-)Englisch und/oder einer Mischung aus Moghamo und Pidgin und sogar mit Wörtern aus anderen Sprachen. Seitdem dieser uralte Markt in Betrieb ist, hat die Qualität des gesprochenen Moghamo durch neu geprägte und angepasste Wörter ständig abgenommen. Biloa ist jedoch der Meinung, dass dieser Kontakt eine Quelle der Bereicherung ist: Der Handelsaustausch zwischen den Einheimischen und den Neuankömmlingen führt neue Produkte ein, die die lokalen Sprachen auf die eine oder andere Weise bezeichnen müssen. Diese Sprachen werden daher alle Wortbildungsprozesse oder Neologieprozesse nutzen, um neue Begriffe zu schaffen, die die aus dem Kontakt zwischen Afrika und Europa entstandenen Realitäten bezeichnen (Biloa:2004:9).Die Auswirkungen dieser kommerziellen Aktivitäten auf die Moghamo-Sprache sind Teil des fünften Kapitels dieser Arbeit.Neben dem kommerziellen Aspekt zeugen auch stammesübergreifende Ehen von den herzlichen Beziehungen des Landes Moghamo zu seinen Nachbarn. Moghamoaner schließen Mischehen mit den Balis, Pinyins, Widikums, Bayangs, Mettas, um nur einige zu nennen. Trotz dieser scheinbar friedlichen Koexistenz mit ihren Nachbarn muss darauf hingewiesen werden, dass das friedliebende Volk der Moghamo von den expansionistischen und kriegslüsternen Balis in eine Reihe von Kriegen hineingezogen wurde. Dieses Volk kämpfte und eroberte mit Hilfe der Deutschen einen beträchtlichen Teil des Moghamo-Territoriums. Ein Beispiel dafür ist das Dorf Guzang, das sich im Norden bis zum Fluss Momo erstreckte, aber nach den Kriegen verlor es zwei Drittel seines reichen Landes an die Balis. Die Balis griffen auch stark in Ngen-Muwah ein (Njang, 2001:56- 57). Infolge dieser Expansionspolitik der Balis wurde ihre Sprache (Mungaka) vielen Moghamoern aufgezwungen. Im heutigen Moghamo-Land ist die Sprache verfälscht worden, was durch das Vorhandensein einiger Mungaka-Wörter in dieser Sprache belegt werden kann.

4.2.5 Religiöse Überzeugungen und Praktiken in Moghamo

Die einheimischen Moghamoaner glauben sowohl an den christlichen Gott als auch an die Götter der Vorfahren. Ihrer Ansicht nach spielen die Ahnengötter die Rolle eines Mittlers zwischen Gott und ihnen. Es wird angenommen, dass dieses "übernatürliche Wesen" immer Recht und Gerechtigkeit walten lässt und stets bereit ist, die Gerechten zu belohnen und die Bösen zu tadeln. Wie bereits erwähnt, glauben die Moghamo auch sehr stark an ihre traditionellen Herrscher. Sie glauben, dass diese von ihren Vorfahren auserwählt wurden und selbst Halbgötter sind. Neben den "Fons" gibt es auch traditionelle Ärzte, die allgemein als "Dongs" oder "Tegums" bezeichnet werden und über große spirituelle Kräfte verfügen. Die Mehrheit der einheimischen Moghamoaner glaubt, dass diese "Tegums" mit den Toten kommunizieren, den Willen ihrer Götter deuten und auch die Zukunft voraussagen können. Außerdem kann ein Tegum die Ursache für den Tod eines Menschen erkennen. Im Allgemeinen glaubt ein typischer Moghamoaner, dass kein Tod natürlich ist. Das heißt, dass es für jeden Tod eine Ursache gibt, selbst wenn die Person im Alter von 100 Jahren stirbt. Außerdem wird behauptet, dass die Moghamo Menschen Hexerei betreiben. Aus diesem Grund wird der plötzliche Tod eines jungen Menschen immer auf Hexerei zurückgeführt. Die Familien solcher Personen eilen immer zu "Tegum", um die "wahre" Ursache für den Tod ihres Familienmitglieds zu erfahren. Diese Praxis hat Moghamo so berühmt gemacht, dass es allgemein als das "Land des Tegum" bezeichnet wird. Dieses "Tegum-Phänomen" ist der Grund für den Zustrom von Menschen aus ganz Kamerun nach Moghamo, um die "Zauberhaften" zu konsultieren. Die Menschen in Moghamo glauben auch sehr an ihren Palmwein. Dieses kostbare Getränk wird bei traditionellen Hochzeiten, Beerdigungen und zum Ausschenken von Trankopfern verwendet. Kurz gesagt, er wird sowohl bei fröhlichen als auch bei traurigen Anlässen in Moghamo verwendet. Manche Leute lieben ihn so sehr, dass sie einen hassen würden, wenn man ihnen eine Kostprobe dieses "Fichuk" verweigern würde. Neben dem oben genannten Katalog traditioneller Glaubensvorstellungen glauben viele Moghamoer an einen christlichen Gott. Seitdem das Christentum in Moghamo Einzug gehalten hat, nimmt die Zahl der Gläubigen von Tag zu Tag zu. Die Ankunft des Christentums in Batibo hat einen großen Einfluss auf die Kultur der Moghamo, insbesondere auf ihre Sprache.

4.2.6 Ankunft des ersten Whiteman in Moghamo

Bevor 1920 Missionare in Moghamo eintrafen, hatte 1889 ein deutscher Entdecker und Kolonialist dieses Land durchquert. Genau am 12. Januar 1889 setzten Zintgraff und seine Gefolgsleute ihren Fuß auf Moghamoer Boden. Sie kamen aus der südwestlichen Region und wanderten vom Banyang-Land durch die Dörfer Defang, Fotabe, Tinto, Tali und Sabe, erklommen den Steilhang von Ashong (Babessong) in Moghamo und dann nach Bali (Baliburg) (Chilver 1966:vii). Bei seiner Ankunft in Ashong war er so erstaunt über die ohrenbetäubenden Gewehrschüsse, dass er bemerkte: "... es waren kaum Gewehre zu sehen, ein Kontrast zu den Menschen, die in der Nähe des Cross River leben". Zintgraffs Aufenthalt in Ashong war nur von kurzer Dauer. Am 16. Januar 1889, nur vier Tage nach seiner Ankunft, reiste er zusammen mit seinem Dolmetscher Munyenga und Gefolgsleuten nach Bali ab. Vor seiner Abreise erlebte der deutsche Kolonialherr einen "Kriegstanz", der ihn sehr beeindruckte. Bei seiner Abreise nach Bali schloss er auf Anraten seines Dolmetschers einen Blutpakt mit dem damaligen "Fon" von Ashong, um sicherzugehen, dass er von diesem nicht ausgetrickst wurde Nach der Abreise dieses "ersten Weißen" betraten die ersten Missionare im ersten Viertel des zwanzigsten Jahrhunderts Moghamo. Auch wenn sein Aufenthalt nur von kurzer Dauer war, so war er doch von großer Bedeutung, denn er trug dazu bei, dass die Moghamo-Sprache im Laufe der Zeit an Einfluss gewann, zumal er zusammen mit anderen Deutschen Bali so mächtig machte, dass es den größten Teil der Graslandregion, einschließlich Moghamo, beherrschte.

4.3 Advent der Missionare in Moghamo

Unter dieser Überschrift werden drei Aspekte behandelt: das Aufkommen der Basler Mission, das Aufkommen der römisch-katholischen Kirche und das Aufkommen der "Neuen Kirchen".

4.3.1 Advent der Basler Mission

Aus einer von Mudoh (2005:1-6) verfassten Ansprache, die dem Vorsitzenden der PCC vorgelegt wurde, geht hervor, dass die ersten Missionare 1920 in Batibo eintrafen. Vor ihrer Ankunft glaubten die Moghamo sehr stark an das Heidentum und die traditionellen Religionen. Genau in diesem Jahr kamen einige deutsche Missionare nach Bali und ließen sich dort nieder. Das Eindringen der christlichen Religion in Moghamo stieß auf großen Widerstand, und die Kommunikation zwischen Moghamo, den Balis und den Missionaren war sehr schwierig. Letztere eröffneten daraufhin Schulen, in denen Mungaka und Deutsch unterrichtet wurden. Damit sollte die Auslegung und Vermittlung des Evangeliums an die Einheimischen erleichtert werden. Einem Informanten zufolge war es eine Herkulesaufgabe, Schüler für diese Schulen zu gewinnen, weshalb die Missionare auf Schülerjagd gingen. Sie wurden aus den Nachbardörfern, einschließlich Moghamo, gefangen und gezwungen, diese Schulen zu besuchen. In einigen Heimen wurden Waisenkinder aus zwei Gründen in diese Schulen gezwungen: erstens, um die Pflegeeltern zu entlasten, und zweitens, um sie in den Tod zu schicken, wenn die Weißen sie zum Töten mitnahmen (Aussage eines Informanten).Als diese Missionare im Dorf Bessi ankamen, wurde ein gewisser David Mudoh gefangen und nach Bali gebracht, wo er in Mungaka und Deutsch unterrichtet wurde. Danach war er in der Lage, das Evangelium zu verstehen, zu lesen und in Mungaka und Moghamo zu interpretieren. Nach seiner Rückkehr in seine Heimatstadt Bessi im Jahr 1920 sammelte er Kinder und einige Erwachsene und begann, sie in seinem Haus das Wort Gottes zu lehren. Mit der Zeit erwarb er einen Ort der Anbetung in der Nähe des Palastes des Fon namens Gunjen, wo ein Kirchengebäude errichtet wurde. Später, am 12. Januar 1921, brachte ein anderer Missionar, Karles Frey, einen Missionslehrer mit, Daniel Foningong. Er wurde in der Schule von David Mudoh unterstützt, der schließlich am 17. November 1944 von Pfarrer Mudidin, dem ersten kamerunischen Pastor, getauft wurde. Von hier aus verbreitete sich das Evangelium in andere Teile von Moghamo. Die Basler Mission, die später als Presbyterianische Kirche in Kamerun bekannt wurde, wuchs trotz vieler Schwierigkeiten und Herausforderungen immer weiter. Die Missionsarbeit in Batibo führte zur Eröffnung vieler presbyterianischer Grundschulen und des Presbyterian Teacher Training College (PTTC) in Batibo. Einige Jahre später wurde diese Schule in eine presbyterianische Sekundarschule (PSS) umgewandelt. Die Gründung dieser Schulen, insbesondere der Englischunterricht, hat ebenfalls zur Entwicklung der Moghamo-Sprache beigetragen.

4.3.2 Advent der römisch-katholischen Mission

Der katholische Glaube wurde in den frühen 1920er Jahren nach Moghamo gebracht. Zu verdanken ist dies Peter Acha-Iyah aus Batibo, Manga aus dem Dorf Efah, Mathias Njimbet aus Bali Nyonga, Taminang aus Baforchu (Mbu), Mathias Bidah aus Bawock in Bali und Peter Njeckeh aus Ashong. Es sei darauf hingewiesen, dass Peter Acha-Iyah und Manga in Fernando Po in Äquatorialguinea getauft wurden. Diese Katecheten lehrten die Lehre und bereiteten die Katechumenen auf die Taufe vor. Der Unterricht fand in provisorischen Gebäuden statt. Ihr Hauptquartier befand sich zu dieser Zeit in Njinikom. Dorthin reisten sie an den "Ersten Freitagen" und zur Feier der "Festtage". Reverend Fathers Leonard Onderwater und Leonard Jacobs aus Njinikom reisten regelmäßig von Njinikom nach Moghamo, um dort zu lehren und zu taufen. Im Jahr 1931 taufte Pater Leonard Jacobs die ersten Moghamoer: Gabriel Ngu Munoh, Michael Jemi und Joseph Sabi. Moghamo gehörte zur damaligen Pfarrei Widikum. Diese Pfarrei wurde 1951 mit Pater Leo Van Son als Pionierpfarrer eröffnet. Von 1951 bis 1973 wurden in Enyoh, Batibo Central, Ashong und Ambo zahlreiche Kirchengebäude gebaut. In Enyoh, Ashong und anderen Dörfern wurden auch Schulen gebaut.

Zufrieden mit den oben genannten Entwicklungen gaben die Kirchenbehörden der Batibo-Gemeinde im Oktober 1973 Autonomie. Sie wurde offiziell von Seiner Gnaden Paul Verdzekov, dem damaligen Erzbischof von Bamenda, der heute seligen Andenkens ist, eröffnet. Reverend Father Robert O'Neil war der erste Pfarrer, der in dieser Pfarrei tätig war. Diese Pfarrei umfasste ganz Moghamo und erstreckte sich sogar bis nach Kuano, Elum, Gurifen und Nyenneba in der Division Manyu. Die obigen Informationen über die Ankunft der römisch-katholischen Kirche in Batibo stammen aus einer Zusammenstellung von J.A. Ngwa aus dem Jahr 1999. Beiträge zu diesem Dokument kamen auch von Munoh Gabriel, Sama Thomas und Lucas Mbah anlässlich der Feier des silbernen Jubiläums der Pfarrei St. Sebastian in Batibo.

4.3.3 Advent der 'Neuen Kirchen'

Die etablierten Kirchen (die PCC und die Katholische Mission) sind seit über fünfzig Jahren in Moghamo tätig, bevor die "Neuen Kirchen", auch bekannt als Pfingstkirchen, aufkamen. Sie wurden in den 1970er und 1980er Jahren in Moghamo gegründet. Die Ankunft der so genannten "Männer Gottes" oder "Wohlstandsprediger" markierte den Beginn des "Born Againism" in Moghamo (Samah 2005:1). Die meisten dieser "Born Again Churches" kamen aus Nigeria nach Moghamo. Die bedeutendsten von ihnen waren die Apostolic Church (1967), Full Gospel Mission (Mitte der 80er Jahre), Church of Christ (Ende der 80er Jahre), Deeper Life Bible Church (1994) und die Christian Missionary Fellowship International (CMFI) im Jahr 1994. Zu ihren Hauptaktivitäten gehörten die Organisation von Erweckungs- und Heilungsprogrammen, Evangelisationen, Kongressen, Seminaren und Konferenzen. Der Kontakt der oben genannten Konfessionen mit der Bevölkerung von Moghamo hatte sicherlich Auswirkungen auf das politische, wirtschaftliche, soziale und kulturelle Leben dieser Menschen, insbesondere auf ihre Sprache, zumal die meisten dieser Kirchen direkt oder indirekt an der Übersetzung/Dolmetschung aus dem Englischen ins Moghamo beteiligt waren. Die oben genannten Informationen über das

Aufkommen der verschiedenen Konfessionen haben wesentlich zur Qualität des Dolmetschens in Moghamo beigetragen. Es ist zu betonen, dass diese Kirchen mit dem Englischen, einem LWC, kamen, aus dem ins Moghamo, einem LNC, gedolmetscht wird. Angesichts der Merkmale von LWCs und LNCs, die in Kapitel zwei dieser Arbeit hervorgehoben wurden, ist dies natürlich eine große Herausforderung. Eine Beschreibung der Situation vor Ort, der Herausforderungen und der Perspektiven des Dolmetschens aus einer breiteren Kommunikationssprache (Englisch) in eine engere Kommunikationssprache (Moghamo) wird in Kapitel fünf dieser Arbeit behandelt.

4.4 Linguistischer Kontext von Moghamo

Der sprachliche Kontext des Moghamo behandelt die folgenden Aspekte: Sprachgeographie, genetische Klassifizierung, Varianten des Moghamo und Mehrsprachigkeit im Moghamo.

4.4.1 Linguistische Geographie

Wie bereits in diesem Kapitel erwähnt, beschränken sich die Moghamo-Sprecher nicht nur auf die indigene Bevölkerung in der Sub-Division Batibo. Man findet sie auch in Baforchu, Baba II, Ngyienmbo und Mbe, alle in der Unterdivision Santa, im Dorf Banjah und in Abegum, Bofei, Diche und Tikom in der Unterdivision Widikum. Laut Njeck Mathaus Mbah (2005:1) wird Moghamo im Gegensatz zu den 43.332 Moghamo-Sprechern, die 1992 registriert wurden, heute von über 83.000 Menschen in der Sub-Division Batibo gesprochen. Diese jüngsten Statistiken wurden nach einer vom Batibo Rural Council durchgeführten Volkszählung veröffentlicht. Diese Informationen wurden vom Dienststellenleiter eines lokalen Radiosenders zur Verfügung gestellt: Stimme von Moghamo (VOM). Das bedeutet, dass die Zahl der Sprecher in den genannten Dörfern in der Division Mezam noch steigen könnte. Wie viele andere Sprachen hat auch Moghamo seine eigenen Sprachformen oder Dialekte, und bevor die Dialekte identifiziert werden können, ist es wichtig, zunächst einen Blick auf die Klassifizierung von Moghamo zu werfen.

4.4.2 Genetische Klassifizierung

Als eine der Bantusprachen wurde Moghamo in die linguistische Genealogie von Niger-Kongo, Atlantik-Kongo, Volta-Kongo, Benue-Kongo, Bantoid Southern, Wide Grassfields und Momo eingeordnet, wie der unten stehende Stammbaum zeigt. Nach Gordon (2005) gibt es keinen direkten Eintrag für die Sprache Moghamo. Informationen über Moghamo können unter dem Eintrag Metta nachgelesen werden. Zu den alternativen Namen für die Moghamo-Sprache gehören Moghamo-Menemo, Menemo-Moghamo, Widikum-Tadkon, Chubo, Batibo, Metta, Bameta, Muta und Mitaa (Internetquelle). Nach dieser Quelle werden Moghamo und Menemo als Dialekte von Meta bezeichnet. Wie auch immer, Erkenntnisse während dieser Untersuchungen ergaben jedoch, dass Meta, Ngemba, Moghamo, Ngie und Ngwo Dialekte einer ehemals allgemeinen Sprache sind, die als Widikum bekannt ist. Dieu und Renaud (1993, zitiert von Loh; 2005:8) identifizieren ihrerseits Moghamo und Meta als zwei getrennte Sprachen, wie aus Karte IV (Linguistischer Atlas von Kamerun) unten und dem nachfolgenden linguistischen Stammbaum ersichtlich ist. Dieser Stammbaum wurde von diesem Forscher angepasst und modifiziert (Karzner's (1987, zitiert von Loh; 2005:9). Obwohl Gordons Klassifizierung sehr neu ist, ist dieser Forscher als Moghamo-Muttersprachler der Meinung, dass selbst wenn Moghamo ein Dialekt irgendeiner Sprache sein sollte, es angesichts der Sprachgeschichte des Letzteren nicht Metta sein sollte. Stattdessen kann Metta zu Recht als eine Variante von Moghamo eingestuft werden, da Ersteres aus Widikum stammt und über Batibo zu seinem heutigen Standort in Mbengwi gelangte. Daher können Meta und Moghamo stattdessen als Dialekte einer allgemeinen Sprache, dem Widikum, betrachtet werden. Dennoch ist zu betonen, dass von Widikum als eigenständiger Sprache nicht mehr die Rede ist; nur seine Dialekte wie Moghamo, Ngie, Ngwo und Meta existieren heute als eigenständige Sprachen. Die Vorfahren der Ngamambo wanderten aus dem Widikum aus und verbrachten einige Zeit in Batibo, dem Herzen der Moghamo-sprechenden Region, bevor sie sich an ihrem heutigen Standort niederließen.

Karte IV: Linguistische Karte von Kamerun

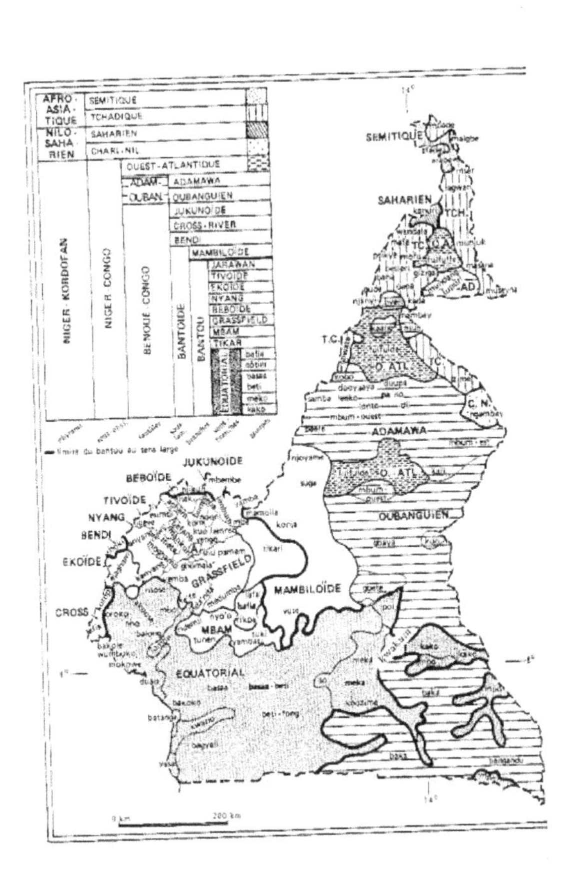

Quelle: Atlas Linguistique du Cameroun

Tabelle 1: Linguistischer Stammbaum

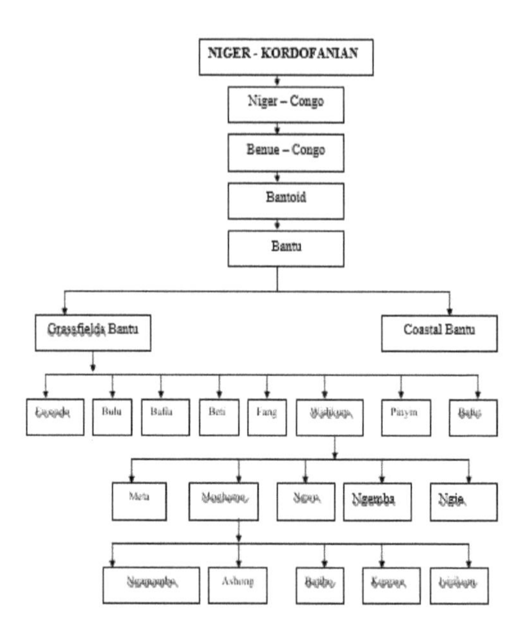

Quelle: Karzner 1987, zitiert von Loh; 2005:9, adaptiert und modifiziert durch den Forscher

4.4.3 Varianten von Moghamo

In der Sprachwissenschaft wird eine Variante oder ein Dialekt offensichtlich als eine Art Abweichung von einer Norm oder Standardform einer Sprache betrachtet (Chambers, 1980:1). Nach Dieu und Renaud (1983, zitiert von Mbah; 2005:1) hat Moghamo vier Sprachformen oder Varianten. Diese Varianten sind Batibo, Iyirikum, Bessi und Kurgwe, die zur Zone 8 mit der Nummer 866 gehören. Mbah ist jedoch anderer Meinung als Dieu und Renaud. Er behauptet, dass Ashong (und nicht Bessi, wie in ALCAM angeführt) eine der Sprachformen ist. Die durchgeführten Untersuchungen haben außerdem ergeben, dass es einen weiteren Dialekt gibt, der als

Ngamambo bekannt ist und von Moghamo-Sprechern gesprochen wird, die in Baforchu, Mbei und Baba II in der Santa Subdivision der Mezam Division leben (siehe linguistischer Stammbaum oben). Von den vier Dialekten, die in Moghamo vorkommen, ist die Referenzsprache Batibo, die von der Mehrheit der Moghamoaner gesprochen wird. Etwa acht der oben erwähnten zweiundzwanzig Dörfer sprechen diesen Dialekt: Batibo (Awi), Bessi, Guzang, Ewai, Mbunjei, Ngen-Muwah und Nyenjei, wobei die drei erstgenannten Dörfer die am stärksten besiedelten in der Region sind.

4.4.4 Mehrsprachigkeit in Moghamo

Im Moghamo-Land werden neben Moghamo noch vier weitere Sprachen täglich gesprochen: Pidgin-Englisch, Englisch, Französisch und Mungaka. Pidgin-Englisch steht nach Moghamo an zweiter Stelle und wird in Kirchen, auf Märkten, in Schulen (sowohl von Schülern als auch von Lehrern außerhalb des Unterrichts) und bei allgemeinen Gesprächen mit Nicht-Einheimischen als Kommunikationsmittel verwendet

Die Kommunikation mit Ausländern in Pidgin ist an Markttagen in Guzang sehr wichtig, um Kommunikationslücken zu schließen. Was die englische Sprache betrifft, so wird sie vor allem von Intellektuellen und in formellen Situationen verwendet: in Gerichten, Schulen, Kirchen (zuweilen) und in der Verwaltung. Es gibt auch einige Eltern, vor allem die gebildeten, die diese Sprache als Mittel der Kommunikation mit ihren Kindern zu Hause verwenden. Dies ist manchmal die Folge von Ehen zwischen Stämmen, die den Gebrauch der Muttersprache zu Hause erschweren, oder einfach aus Prestigegründen. Diese Sprache, die regelmäßig in den Schulen verwendet wird, wird von den Schülern und manchmal auch von ihren Lehrern nach dem Unterricht schnell wieder aufgegeben. Schließlich werden in Moghamo auch Französisch, Mungaka und andere Sprachen gesprochen, wenn auch in geringerem Maße. Manchmal neigt die jüngere Generation dazu, Moghamo mit Pidgin, Englisch und Französisch zu vermischen, um ihre Geheimnisse vor ihren Eltern zu verbergen. Im Großen und Ganzen neigen die Moghamo-Sprecher aus verschiedenen Gründen zum Code-Switching oder Code-Mixing (Wechsel von einer Sprache in eine andere oder Vermischung von zwei oder mehr Sprachen im Dialog). Alle genannten Sprachen beeinflussen die Art und Weise, wie Moghamo heute geschrieben oder gesprochen wird. Kurz gesagt, das Phänomen des Code-Mixing wirkt sich auf die Qualität und Vollständigkeit der Verdolmetschung aus dem Englischen ins Moghamo aus. Nach der obigen Erörterung des geografischen, historischen, sozio-politischen und sprachlichen Kontexts des Gebiets, in dem Moghamo gesprochen wird, konzentriert sich das vorletzte Kapitel dieser Arbeit auf die Darstellung und Analyse der im Laufe der Untersuchung gesammelten Daten.

KAPITEL V

PRÄSENTATION UND ANALYSE DER DATEN

5.0 Einführung

Dieses Kapitel befasst sich mit dem Dolmetschen aus einer LWC in eine LNC. Es gliedert sich in zwei Hauptteile: Geschichte und Praxis des Dolmetschens in Moghamo und Dolmetschen aus einer LWC in eine LNC: der Fall Englisch und Moghamo.

5.1 Geschichte und Praxis des Dolmetschens ins Moghamo

Obwohl das Hauptziel dieser Arbeit darin besteht, das Dolmetschen aus dem Englischen ins Moghamo zu untersuchen, wäre es unangemessen, sich direkt mit diesem Aspekt zu befassen, ohne einen allgemeinen Überblick über diese Praxis im Land Moghamo zu geben. Aus diesem Grund wird vor dem Abschnitt über das Dolmetschen aus dem Englischen ins Moghamo ein allgemeiner historischer Überblick über die Praxis des Dolmetschens in Moghamo gegeben. Es ist zu betonen, dass in diesem Kapitel ein übergreifender Ansatz gewählt wurde. Das bedeutet, dass es sich auf alle in der Moghamo-Gemeinschaft gesprochenen Sprachen bezieht: Moghamo, Englisch, Mungaka, Pidgin, Französisch, Camfranglais und Metta.

5.1.1 Geschichte des Dolmetschens in Moghamo

Der Abschnitt ist in drei Perioden unterteilt: vorkolonial, kolonial und postkolonial bis heute

5.1.1.1 Vorkoloniale Ära

In der vorkolonialen Zeit wurden Botschaften in Moghamo in der Regel über sieben Medien übermittelt: Wahrsager, Blatt oder Friedenspflanze, Becher mit Palmwein, Trommel, Gong, Richtung

Eichhörnchen oder Ratte und der Glaube an den "guten Fuß". Die Kommunikation erfolgte in der Regel wie unten beschrieben:

- Zunächst einmal glauben die Moghamoaner im Allgemeinen, dass Wahrsager oder Wahrsagerinnen, die in Moghamo "Tegum" oder "Ngambe" genannt werden, übernatürliche Kräfte besitzen, die es ihnen ermöglichen, die Zukunft einer Person vorherzusagen oder die Ursache des Todes einer Person zu ermitteln;
- Ein Blatt seinerseits ist ein weiterer wichtiger Überbringer von Botschaften, vor allem wenn es an einem Türpfosten hängt, am Korken eines Palmweinkrugs befestigt ist, an ein umstrittenes Stück Land oder Ackerland geheftet ist oder an einer Straßenkreuzung gefunden wird;
- Auch das Schlagen eines Gongs oder einer Trommel, vor allem zu unerwarteter Stunde, vermittelt den Zuhörern immer eine Botschaft;
- Dann ist die Position, in der ein Becher Palmwein gehalten wird, bevor er jemandem gereicht wird, von großer Bedeutung für die Kommunikation, insbesondere in Häusern, in denen Palmwein getrunken wird. Wird die Botschaft falsch entziffert oder interpretiert, besteht die Gefahr, dass die betreffende Person vergiftet wird;
- Außerdem wurde die Gebärdensprache in der vorkolonialen Zeit aufgrund der Sprachbarriere häufig zur Kommunikation verwendet.
- Auch die Richtung, in die sich eine Ratte oder ein Eichhörnchen bewegt, während ein Moghamoaner auf einer Reise ist, sagt entweder ein fruchtbares oder ein negatives Ergebnis voraus. Sieht ein Moghamoaner, wie es die Straße von rechts nach links überquert, ist das ein gutes Zeichen. Das Gegenteil ist der Fall, wenn das Tier von der linken auf die rechte Seite wechselt. In der Tat wird eine solche Situation so interpretiert, dass eine "gute Sache" den "Sack" (die linke Hand) verlassen hat.
- Schließlich ist für die Moghamo-Gemeinschaft auch die Botschaft des "guten Fußes" oder "schlechten Fußes" von Bedeutung. Diese Vorstellung ist von Person zu Person unterschiedlich, denn während einige ihren guten Fuß als das rechte Bein betrachten, ist es bei anderen das linke. Sicher ist, dass die Botschaft, die ein typischer Moghamo-Mensch interpretiert, wenn er sich mit dem linken oder

rechten Zeh auf den Weg macht, davon abhängt, was er für den "schlechten" oder "guten" Fuß hält.
Die Sprache der "Trommel, des Gongs, des Blattes und/oder des Palmweinbechers" wird ebenfalls immer noch stark praktiziert, obwohl nur sehr wenige Menschen die beabsichtigten Botschaften dieser Instrumente richtig deuten können. Dies ist sehr nachteilig für die Moghamo-Kultur, denn manchmal wurden die Botschaften den Dorfbewohnern ohne das Wissen von Fremden oder Feinden übermittelt.

5.1.1.2 Kolonialzeit

Diese Epoche ist in zwei Perioden unterteilt: Die deutsche Herrschaft (1888-1916) und die britische Herrschaft (1916-1961), die beiden Kolonialherren des anglophonen Kameruns.

5.1.1.2.1 Deutsche Verwaltung

Als die ersten Deutschen in Kamerun ankamen, waren sie sicherlich auf die Dienste eines Dolmetschers angewiesen, um sich problemlos mit der einheimischen Bevölkerung verständigen zu können. Wie bereits in der Einleitung zu diesem Kapitel erwähnt, wurde während der Kolonialzeit wenig getan, vor allem nicht auf formaler Ebene, was das Dolmetschen anbelangt. Aus den Dokumenten, die der Forscher in die Hände bekam, geht nur der Name einer Person als Dolmetscher hervor. Diese Person war Munyenga - der Sklave von Douala Manga Bell. Er war Zintgraffs Dolmetscher, der aus dem Banyong-Land stammte (Chilver, 1966:1). Die Informationen, die wir von einem Informanten, John Menget, erhielten, zeigten, dass dieser Mann von den Moghamo-Eingeborenen Munyonga genannt wurde, um eine übernatürliche Person zu bezeichnen, die Mitglied eines Geheimbundes (Kult) war. Man glaubte, dass solche Personen allwissend seien, und das erklärte, warum "Munyongo" frei und mit großer Leichtigkeit dolmetschen konnte. Er wurde von vielen Menschen bewundert und beneidet. Aus einem Gespräch mit Professor

Chia Emmanuel ging hervor, dass ein anderer natürlicher Übersetzer/Dolmetscher, Johannes Kisob, in dieser Zeit dolmetschte. Letzterer, ein gebürtiger Baforchu, diente den Weißen als "Übersetzer/Dolmetscher" für die gesamte ethnische Gruppe der Widikum, was zur Entstehung der Sprache der Widikum führte. Die Weißen, die die gesamte damalige Provinz Bamenda regierten, machten sich Kisobs natürliche Sprachbegabung zunutze und nahmen ihn bei jedem Besuch im Moghamo-Land mit. Dies ist darauf zurückzuführen, dass es in der Zeit vor der Übernahme Westkameruns durch die britischen Kolonialherren im Jahr 1916 Missionare der Basler Mission gab. Um das Evangelium zu verkünden, griffen sie sicherlich auf eine Art von Dolmetscher zurück. Da jedoch keine Informationen über diese Tätigkeit dokumentiert wurden, konnte der Forscher nur dokumentierte Informationen über Munyenga und mündliche Informationen über Kisob erhalten.

5.1.1.2.2 Britische Verwaltung

Wie bei den Deutschen wurden auch bei der Übernahme der Kontrolle über Westkamerun durch die Briten im Allgemeinen und Moghamo im Besonderen die Dienste von Dolmetschern benötigt, um mit den Einheimischen zu kommunizieren. Nach Zintgraffs Durchreise durch Moghamo nach Bali im Jahr 1889 wurden viele Menschen später gefangen genommen und nach Bali gebracht, wo sie Mungaka und auch das Wort Gottes gelehrt wurden. Dank dieser "Zwangserziehung" wurden viele von denen, die Bali verließen, später Katechisten, Laienprediger, Evangelisten und später Dolmetscher des Evangeliums in Mungaka, Pidgin-Englisch und Englisch in Moghamo. Diese "Zwangserziehung" trug direkt oder indirekt zur Entwicklung der Moghamo-Sprache bei. Um 1920 begannen die ersten Dolmetscher, das Wort Gottes in Moghamo zu interpretieren. Zu ihnen gehörten Namen wie David Mudoh, Peter Acha-Iyah, M.E. Messack Ndam, Ndifon Johnson Dassi (Postbote), J.M. Afuh, L.M. Ndamukong, P.A. Fombi, Jacob Ngwa, David Mukum, Solomon Fomum und Teke Moses Aneng. Insbesondere Peter Acha-Iya diente ab 1927 als Dolmetscher für die Patres aus Kumbo und Njinikom. Alle genannten Personen waren gebürtige Moghamoer. Andere Katechisten wie Tebeck Fongrishi aus Metta und Sadrack Tibab aus dem Dorf Anong waren unter der britischen Herrschaft ebenfalls als Dolmetscher tätig. Die meisten der oben genannten "Dolmetscher" sind inzwischen verstorben. Neben dem Dolmetschen in Kirchen dienten einige der oben genannten Personen auch als Dolmetscher in Gerichten - Native Authority Courts. Einige von ihnen waren so sprachbegabt, dass sie bis zu sechs Sprachen sprechen und schreiben konnten. Ein Beispiel dafür ist Teke Moses Aneng, der Duala, Mungaka, Bakossi, Mankon, Pidgin-Englisch, Englisch und seine Muttersprache Moghamo sprechen und verstehen konnte. Da Englisch eine der beiden untersuchten Sprachen ist, wird im zweiten Hauptteil dieses Kapitels eine eingehende Untersuchung der Herausforderungen und Aussichten bei der Übersetzung eines solchen LWC in einen LNC, nämlich Moghamo, durchgeführt.

5.1.1.3 Postkoloniale Zeit bis heute

Dieser Zeitraum umfasst die Jahre von 1960 bis heute. Im Vergleich zur Kolonialzeit kann man sagen, dass in der postkolonialen Epoche mehr Menschen Dolmetscherdienste benötigten als in der vorangegangenen Epoche. Dies ist darauf zurückzuführen, dass die britischen Kolonialherren und Missionare mit mehr Schulen, Krankenhäusern und Gerichten kamen. Diese Einrichtungen, die hauptsächlich von nicht-einheimischen Moghamoanern geleitet wurden, benötigten unbedingt die Dienste von "Dolmetschern", um effektiv arbeiten zu können. Es ist hervorzuheben, dass all diese Dolmetschertätigkeiten von "ungeschulten" Dolmetschern oder, wie manche Autoren es nennen, "natürlichen Dolmetschern" ausgeführt wurden. Die einzige Qualifikation, die die meisten von ihnen hatten, war die Fähigkeit, mindestens zwei oder mehr Sprachen zu sprechen und zu verstehen.

5.1.1.3.1 Administrative Zwecke

Da viele Einheimische in Moghamo in den 60er und 70er Jahren die "Sprache der Weißen" kaum verstehen konnten, wurden die Dienste von Dolmetschern dringend benötigt, insbesondere bei Gerichtssitzungen. Einer dieser natürlichen Dolmetscher war Mbah Lucas Abruo, der sein Amt von 1972-1982 ausübte. Als er gefragt wurde, wie er zu seiner Zeit gedolmetscht hat und wie man vor Gericht dolmetscht, verriet er dem Forscher, dass er das tat, was man mit Fug und Recht als referierte Rede bezeichnen kann. Dies zeigt sich deutlich in Sätzen wie: Menget John, ein pensionierter Sekundarschullehrer, Schriftsteller und Berater von MOLCOM, dolmetschte auch für Gesundheitsbeamte und andere Ausländer. Seiner Meinung nach sind schlechte und falsche Dolmetscher sehr schädlich. Falsches Dolmetschen geschehe manchmal absichtlich. Als Beispiel nannte er das damalige Dorf Njen, das seine Identität und Autonomie an das Dorf Ashong verlor, weil es falsch gedolmetscht wurde. Er nannte auch ein anderes Beispiel, bei dem ein Divisionsbeamter eine Frist von höchstens zwei Tagen für die Vollstreckung eines Urteils setzte, der "Dolmetscher" aber sagte, der Säumige solle zwei Ziegen mitbringen. Als diese Ziegen gebracht wurden, gehörten sie dem Dolmetscher, anstatt sie, wie von ihm gedolmetscht, zum Divisionsbeamten zu bringen. Eine weitere Person, die für einige Verwaltungsbeamte als Dolmetscher arbeitete, war Teke Moses Aneng, ein pensionierter Grundschullehrer. Er dolmetschte nicht nur in Kirchen, sondern wurde auch immer wieder als Dolmetscher vor Gericht oder bei politischen Versammlungen herangezogen, an denen Ausländer oder Nicht-Moghamo-Sprecher teilnahmen. Weitere Dolmetscher aus der Kolonialzeit waren Peter Acha-Iyah aus dem Dorf Awi, Senior Massengerfrom Metta und Massenger Anogetam aus dem Dorf Bessi. Laut Teke Moses handelte es sich dabei um "sehr erfahrene Dolmetscher" der Gerichte der Native Authority (N.A.). Zusätzlich zu den oben genannten Dolmetschern dolmetschte auch Mbah Hansel, ein Prinz aus dem Awi-Dorf und pensionierter Schulleiter, bei politischen

Versammlungen. So erzählte er dem Forscher, dass er als Dolmetscher fungierte, als der Premierminister des damaligen Westkamerun, Augustin Ngom Jua, um 1966 Batibo besuchte.

5.1.1.3.2 Kommerzielle Zwecke

Moghamo liegt am transafrikanischen Highway und war und ist immer noch ein Durchgangsort für viele Geschäftsleute, die nach Nigeria und zurück reisen. Vor vielen Jahren unternahmen die Einwohner von Moghamo Geschäftsreisen nach Nigeria. Auf der anderen Seite unternahmen auch einige nigerianische Geschäftsleute ähnliche Reisen nach Widikum oder Moghamo. Damit die Kommunikation stattfinden konnte, wurden Dolmetscher benötigt. Personen wie Menget John und Teke Moses Aneng übernahmen solche Aufgaben, und die Ankunft von Ausländern in Moghamo aus geschäftlichen Gründen hat sich auch auf die Art und Weise ausgewirkt, wie Moghamo heute gesprochen wird. Auch die Präsenz des uralten Guzang-Marktes in Batibo aus vorkolonialer Zeit hat zur Entwicklung dieser Sprache beigetragen, wie die große Zahl von Fremdwörtern beweist, die heute regelmäßig in Moghamo verwendet werden.

5.1.1.3.3 Religiöse Zwecke

Die meisten der oben genannten Dolmetscher dolmetschten nicht nur für administrative und kommerzielle Zwecke, sondern auch in Kirchen. Es sei darauf hingewiesen, dass die meisten von ihnen Laienprediger und Katecheten waren und daher vorrangig in ihren jeweiligen Kirchen tätig waren. Zu diesen Dolmetschern gehörten Mbah Hansel, Menget John, Teke Moses Aneng und viele andere Namen, die bereits in der Kolonialzeit erwähnt wurden. Moses Tawah war ein weiterer Laienprediger, der von 1966 bis 2003 das Wort Gottes im PC Nyenjei auslegte. Er übersetzte von Mungaka, Pidgin und Englisch nach Moghamo und umgekehrt. Manchmal übersetzte er auch direkt vom Englischen ins Mungaka, der damals von den Deutschen auferlegten vorherrschenden Sprache im Grassfield-Gebiet. Daher können die alten Christen in vielen Kirchen in Moghamo heute das Vaterunser und das Apostolische Glaubensbekenntnis leichter in Mungaka als in Moghamo aufsagen. Obwohl das oben genannte Gebet in Moghamo bereits übersetzt wurde, wird es in vielen Kirchen in Batibo immer noch auf Englisch rezitiert, in Moghamo jedoch kaum.Neben seiner Tätigkeit als Gerichtsdolmetscher diente Mbah Lucas Abruo auch als Dolmetscher des Evangeliums in der römisch-katholischen Kirche der Stadt Batibo. Diese Aufgabe hat er viele Jahre lang ausgeübt, bis vor kurzem viele Gottesdienstbesucher Pidgin-Englisch und/oder Englisch sprechen und verstehen konnten. Mbah Martin schließlich, ein Drucker im Ruhestand und einer der Übermittler von Nationalsprachen über Radio Buea, ist immer noch Gemeindedolmetscher in der Gemeinde Bessi Central in seinem Heimatdorf, wo er seinen Ruhestand verbringt. Aufgrund seiner Fähigkeiten als Rundfunksprecher wurde er von 1968 bis 1990 zum Präsidenten der damaligen Radio Buea National Languages Broadcasters Association (NALABRA) gewählt. Die meisten der oben genannten Dolmetscher konnten Mungaka sprechen und/oder schreiben, weil die deutschen Kolonialherren sie zum Erlernen der Sprache zwangen. Aus diesem Grund konnten die meisten von ihnen problemlos von Englisch und Mungaka nach Moghamo und umgekehrt dolmetschen. Nach diesem geschichtlichen Überblick über die Dolmetschertätigkeit in Moghamo ist es nun an der Zeit zu untersuchen, wie diese Art der Kommunikation in diesem Teil Kameruns praktiziert wird.

5.1.2 Praxis des Dolmetschens in Moghamo

Vor dem oben beschriebenen Hintergrund der Geschichte des Dolmetschens in Moghamo wäre es an dieser Stelle angebracht, zu untersuchen, wie diese Kunst in der Region praktiziert wird. Zu diesem Zweck wird der Schwerpunkt auf die in Moghamo praktizierten Arten und Modi des Dolmetschens gelegt. Es ist wahrscheinlich, dass alle acht Arten und sechs Modi des Dolmetschens, die in der Literaturübersicht in Kapitel zwei dieser Studie aufgeführt sind, in Moghamo derzeit nicht praktiziert werden.

Dies lässt sich dadurch erklären, dass das Gebiet Moghamo und seine Sprache noch nicht so weit entwickelt sind, dass sie den hohen Anforderungen und/oder den Kosten für die Anmietung von Dolmetschanlagen und professionellen Dolmetschern gerecht werden. Folglich hängen die in Moghamo verfügbaren und praktizierten Arten und Modi von den Mitteln und der Qualität des Personals ab, das der Gemeinschaft zur Verfügung steht.

5.1.2.1 Praktizierte Arten

Zum Zeitpunkt der Feldforschung wurden in Moghamo sechs Arten des Dolmetschens unterschieden. Dazu gehören religiöses, kommunales, medizinisches, gerichtliches, bilaterales oder Verbindungsdolmetschen und Gebärdensprachdolmetschen.

5.1.2.1.1 Religiöses Dolmetschen

Religiöses oder kirchliches Dolmetschen oder Dolmetschen zu religiösen Zwecken wird in Kirchen oder bei Versammlungen von Christen durchgeführt, vor allem, wenn die Führer bei solchen Anlässen keine Moghamo-Einwohner sind. Diese werden in verschiedenen Gebieten in und um Moghamo durchgeführt. Dies betrifft verschiedene Konfessionen wie die Presbyterianische Kirche in Kamerun, die Katholische Kirche, Global Frontiers, Full Gospel, Apostolic, um nur einige zu nennen. Wie bereits erwähnt, besteht das Ziel dieser Art von Dolmetschen darin, das Evangelium von Jesus Christus zu verkünden. Die Akteure oder Interpreten in den oben genannten Konfessionen sind sowohl Frauen als auch Männer. Einige Konfessionen, insbesondere die katholischen Kirchen, müssen sich jedoch noch mit dem Einsatz von weiblichen Dolmetschern arrangieren. Einzelheiten über die Qualität, das Alter und die

Erfahrung dieser Dolmetscher werden später in diesem Kapitel erörtert.

5.1.2.1.2 Gemeinschaftsdolmetschen

Zur Erinnerung: Gemeinschaftsdolmetschen, auch bekannt als Dolmetschen im öffentlichen Dienst oder Dialogdolmetschen, findet im öffentlichen Dienst statt, um die Kommunikation zwischen Beamten und Laien zu erleichtern. Diese Art des Dolmetschens, die in der Regel bidirektional ist, wird in Polizeistationen, Gendarmeriebrigaden, Krankenhäusern, Schulen und quasi allen öffentlichen Ämtern in Batibo praktiziert. Nach Harris (1977), der von Wadensjo (1998:33-37) zitiert wird, sind natürliche Übersetzer die Hauptakteure beim bidirektionalen Dolmetschen. Diese "natürlichen Übersetzer" oder "natürlichen Dolmetscher", wie sie von diesem Forscher genannt werden, müssen in zwei Sprachen dolmetschen, nämlich in den Sprachen der beiden am Dialog oder an der persönlichen Begegnung beteiligten Parteien, die einander nicht verstehen können. Es gibt eine Reihe von Gründen, warum diese Art des Dolmetschens in Moghamo so häufig praktiziert wird. Der erste Grund ist die Tatsache, dass Moghamo dank der transafrikanischen Autobahn, die durch die Gemeinde führt, in der Regel einen Zustrom von Ausländern oder Nicht-Einheimischen verzeichnet. Dieser Highway bringt täglich Menschen aus anderen Stämmen und sogar Ausländer (Nigerianer) nach Batibo, die mit Moghamoern interagieren müssen. Ein weiterer möglicher Grund ist der große Guzang-Markt, der einmal pro Woche Tausende von Nicht-Einheimischen aus geschäftlichen Gründen nach Batibo lockt. Aus den oben genannten Gründen und vielen anderen sind behelfsmäßige oder "natürliche" Dolmetscher erforderlich.

5.1.2.1.3 Gerichtsdolmetschen

Wie auch anderswo ist das Gerichtsdolmetschen eine weitere Form oder Art des Dolmetschens, die in Moghamo praktiziert wird. Wie der Name schon sagt, handelt es sich um eine weitere Form des Dolmetschens im öffentlichen Dienst. Der Begriff "Gerichtsdolmetschen" wird häufig verwendet, um jede Art von juristischem Dolmetschen zu bezeichnen, obwohl der Gerichtssaal nur einer von mehreren Kontexten ist, in denen juristisches Dolmetschen stattfinden kann. Zu den außergerichtlichen Kontexten gehören Befragungen in Polizeistationen, Zollämtern und Anwaltskanzleien. Ebenso wie das Gemeinschaftsdolmetschen ist auch das Dolmetschen in der Regel bidirektional. Mit anderen Worten: Der Dolmetscher nimmt die Botschaft eines Richters in englischer Sprache auf und übermittelt sie dann dem Angeklagten in Moghamo und umgekehrt.

5.1.2.1.4 Medizinisches Dolmetschen

Dolmetschen im medizinischen Bereich ist eine weitere Art des Dolmetschens, die in Moghamo täglich praktiziert wird. Da das in Moghamo tätige medizinische Personal zum großen Teil aus Nicht-Einheimischen besteht und es auch Eltern gibt, die sich nur in ihrer Muttersprache (Moghamo) ausdrücken können, sind Dolmetscherdienste unabdingbar, da die Patienten sonst keine angemessene medizinische Versorgung erhalten. Wie bereits erwähnt, kommen einige dieser Eltern mit ihren Kindern, die als Behelfsdolmetscher dienen. In Ermangelung solcher Dolmetscher wird ein beliebiger Einheimischer als Dolmetscher eingesetzt, der am Ende mit einem "Dankeschön" entlohnt wird. Zu den wichtigsten Einrichtungen, in denen medizinisches Dolmetschen fast täglich praktiziert wird, gehören das St. John of God Health Centre und das Batibo District Hospital. Es ist erwähnenswert, dass bis vor kurzem die leitenden Angestellten von St. John of God, einer katholischen Einrichtung, Europäer waren. Diese Art des Dolmetschens wird auch in Kräuterheimen in Moghamo praktiziert, die Menschen aus ganz

Kamerun anziehen, deren Kommunikationssprache entweder Englisch oder Französisch ist. Abgesehen von den Kräuterhäusern kommen diese Menschen auch nach Moghamo, um Wahrsager zu konsultieren, die von den Moghamo-Eingeborenen Ngambe oder Tegum genannt werden. Es ist ein offenes Geheimnis, dass bei Menschen mit so unterschiedlichen Hintergründen eine effektive Kommunikation nur mit Hilfe von Behelfsdolmetschern stattfinden kann. Wie bereits erwähnt, sind diese Dolmetscher im Allgemeinen ungeschult.

5.1.2.1.5 Bilaterales Dolmetschen oder Verbindungsdolmetschen

Bilaterales Dolmetschen oder Verhandlungsdolmetschen ist die fünfte Art des Dolmetschens, die in Moghamo praktiziert wird. Wie in der Literaturübersicht in Kapitel zwei dargelegt, handelt es sich um eine Art des Dolmetschens, bei der der Dolmetscher zwei Sprachen verwendet, um für zwei oder mehr Parteien oder Personen zu dolmetschen. Diese Art des Dolmetschens ist an Orten wie Krankenhäusern, Schulen, Gerichten, Polizeistationen, um nur einige zu nennen, üblich. Es wird manchmal auch als Ad-hoc-Dolmetschen bezeichnet, weil die Aufgabe des Dolmetschers entfällt, sobald sie beendet ist.

5.1.2.1.6 Gebärdensprachdolmetschen

Wie in anderen Gemeinschaften gibt es auch in Moghamo hörgeschädigte oder schwerhörige Personen. Aus diesem Grund wird, wo immer und wann immer es nötig ist, Gebärdensprachdolmetschen eingesetzt. Diese Art des Dolmetschens wird für all jene angeboten, die die Originalsprache nicht verstehen können. Aus diesem Grund fallen kurioserweise alle Menschen mit Sprachproblemen in diese Kategorie. Es sei darauf hingewiesen, dass das Dolmetschen in Gebärdensprache sehr schwierig ist, da es sich um eine eigenständige Sprache handelt, die erst erlernt und beherrscht werden muss. Aus den oben genannten Arten des Dolmetschens, die in Moghamo praktiziert werden, lässt sich schließen, dass die "natürlichen" oder

"Behelfsdolmetscher" in der Regel nicht ausgebildet sind und sich in der Altersspanne von Kindern bis zu Erwachsenen bewegen. Zu den beteiligten Sprachen gehören Moghamo, Englisch, Pidgin-Englisch, Französisch und Mungaka. Gedolmetscht w i r d also aus dem Moghamo in die oben genannten Sprachen und umgekehrt. Nach der Erörterung der vorgenannten Arten des Dolmetschens in Moghamo werden im folgenden Abschnitt die dort praktizierten Modi vorgestellt.

5.1.2.2. Praktizierte Modi

In Moghamo gibt es drei Hauptdolmetscharten, die regelmäßig praktiziert werden: Konsekutivdolmetschen, Flüsterdolmetschen und Sichtdolmetschen. Wie bereits erwähnt, untersucht ein Dolmetschmodus das Wie oder die Art und Weise, wie gedolmetscht wird.

5.1.2.2.1 Konsekutivdolmetschen

Wie bereits in Kapitel zwei dieser Arbeit erklärt, ist das Konsekutivdolmetschen eine der wichtigsten Formen, die täglich auf internationalen Konferenzen, Seminaren sowie bei kleinen oder begrenzten Versammlungen oder Sitzungen praktiziert wird. Sobald man von Konsekutivdolmetschen hört, stellt man sich einen Dolmetscher vor, der einem Redner zuhört, während er sich Notizen macht, und später aufsteht, um die Rede in seiner eigenen Muttersprache zu halten. In Moghamo ist das Bild ein wenig anders. In Moghamo wird, wie in vielen anderen Gegenden Kameruns auch, Satz für Satz oder Absatz für Absatz konsekutiv gedolmetscht. Anstatt bis zum Ende seiner Rede zu sprechen, macht der Redner von Zeit zu Zeit eine Pause, damit der Dolmetscher die Botschaft in seiner eigenen Muttersprache übermitteln kann (Jacques 1990:25). Mit anderen Worten, der Redner unterbricht den Redefluss von Zeit zu Zeit, um dem Dolmetscher Raum zu geben, die Botschaft an den Gesprächspartner weiterzugeben. Jacques (ebd.) nennt es nicht

Konsekutivdolmetschen, sondern Semikonsekutivdolmetschen. Diese Art des Dolmetschens wird vor allem bei sonntäglichen Gottesdiensten und anderen Zusammenkünften praktiziert, um sicherzustellen, dass die Christen die beabsichtigte Botschaft erhalten. Es wird auch bei politischen Versammlungen (Kundgebungen) eingesetzt, um die Informationen an die Aktivisten an der Basis weiterzugeben.

5.1.2.2.2 Flüsterdolmetschen

Wie der Name schon sagt, wird das Dolmetschen hier lediglich in die Ohren der beiden Verhandlungspartner "geflüstert". Obwohl es im Französischen als Flüsterdolmetschen oder "chuchotage" bezeichnet wird, sprechen die meisten Redner in diesen Situationen tatsächlich mit tiefer Stimme und flüstern nicht per se. Es ist zu betonen, dass für diese Art des Dolmetschens keine Ausrüstung benötigt wird. In Moghamo wird diese Art des Dolmetschens bei Hochzeitszeremonien oder sogar im Rahmen des medizinischen oder juristischen Dolmetschens praktiziert. Die Dolmetscher, die in solchen Fällen tätig sind, ähneln denjenigen, die beim Gemeindedolmetschen insgesamt eingesetzt werden.

5.1.2.2.3 Sight Translation

Aus den durchgeführten Untersuchungen geht hervor, dass das Sichtdolmetschen in Moghamo die am häufigsten verwendete Art des Dolmetschens ist. Die Sichtdolmetschung wird, genau wie die halbkonsekutive Übersetzung, in verschiedenen Kirchen oder Konfessionen, die bereits in dieser Arbeit erwähnt wurden, häufig angewandt. Tatsächlich wird keine der Predigten, die in den Kirchen gehalten werden, direkt in Moghamo geschrieben. Die Prediger schreiben ihre Predigten auf Englisch und predigen sie dann auf Moghamo, wenn sie die Kanzel besteigen. Mit anderen Worten: Sie übersetzen ihre Predigten aus dem Englischen. Diese Art des Dolmetschens wird deutlich, wenn Briefe an Analphabeten oder sehbehinderte Personen eingehen. Meistens geben diese Analphabeten diese Briefe an gebildete Personen weiter, die sie ihnen dann vorlesen oder in Moghamo übersetzen. Die vorangegangene Untersuchung der Geschichte und Praxis des Dolmetschens aus dem Englischen ins Moghamo von der vorkolonialen über die koloniale bis zur postkolonialen Zeit sowie der in Moghamo praktizierten Arten und Modi führt uns nun zum zweiten Teil dieses Kapitels und dem wichtigsten Abschnitt dieser Arbeit über das Dolmetschen aus einer Sprache der breiteren Kommunikation (Englisch) in eine Sprache der begrenzten Kommunikation (Moghamo).

5.2 Dolmetschen aus dem Englischen ins Moghamo

5.2.0Einführung

Dieser zweite Teil des fünften Kapitels konzentriert sich auf zwei Hauptaspekte: die am Dolmetschprozess beteiligten Akteure und das Publikum sowie die Herausforderungen, die sich bei der Durchführung einer Dolmetschertätigkeit vom Englischen (LWC) ins Moghamo (LNC) ergeben.

5.2.1Dolmetscher und Publikum werden einbezogen

Aus dem Wortlaut dieses Untertitels geht hervor, dass er zwei Hauptaspekte hervorhebt: erstens die Akteure, die hinter dem Dolmetschen ins Moghamo stehen, und zweitens das Publikum oder die Empfänger der Kommunikation.

5.2.1.1 Hintergrund von Dolmetschern

Bei den Akteuren geht es darum, diejenigen zu identifizieren, die am Dolmetschen von einer LWC - Englisch - in eine LNC - Moghamo beteiligt sind. Zu diesem Zweck wird darauf geachtet, Antworten auf die Fragen zu finden, wer, wo und wann diese Akteure dolmetschten. Nach der Identifizierung und Verortung der Akteure wird der Schwerpunkt auf die Kategorisierung der Dolmetscher gelegt. Im Wesentlichen handelt es sich bei den Dolmetschern, die aus dem Englischen ins Moghamo dolmetschen, um das, was einige Autoren als natürliche Übersetzer/Dolmetscher bezeichnet haben, wie bereits in Kapitel vier erwähnt. Dieser Forscher ist der Meinung, dass es besser wäre, sie aufgrund ihrer nicht ständigen Rolle als Dolmetscher als "Behelfsdolmetscher" zu bezeichnen. Da sie nur behelfsmäßig arbeiten, ist es schwierig, sie zu identifizieren.

Die durchgeführten Untersuchungen haben gezeigt, dass ihre Zahl so hoch ist wie die Zahl der Situationen, in denen gedolmetscht werden muss: Gericht, Begleitung, medizinische Versorgung, Kirche und andere. Bevor auf einige dieser Behelfsdolmetscher (im Gegensatz zu den ausgebildeten Dolmetschern) näher eingegangen wird, sollte darauf hingewiesen werden, dass auch ihre Kategorien unterschiedlich sind: Alter, Reichweite, Bildungsniveau, Grad der Zweisprachigkeit/Mehrsprachigkeit, Ausbildung und Erfahrung.

Aus den gesammelten Informationen geht hervor, dass das Alter der Behelfsdolmetscher in Moghamo je nach Beteiligtem variiert: Kind, Jugendlicher, Erwachsener, jung oder alt. Was das Bildungsniveau betrifft, so haben einige von ihnen nur einen ersten Schulabschluss, während andere entweder einen normalen oder einen höheren Schulabschluss haben. Es gibt sogar einige, die nie die siebte Klasse abgeschlossen haben. Ihre Fähigkeit zu dolmetschen hängt einfach davon ab, ob sie Englisch und Moghamo (Zweisprachigkeit) oder andere Sprachen (z. B. Pidgin-Englisch, Französisch und Mungaka) sprechen und verstehen können. Was ihre Ausbildung anbelangt, so gaben alle Befragten an, dass sie eine Ausbildung "on the job" absolviert haben. Mit anderen Worten, sie haben nie eine formale Dolmetscherschule besucht, um als Dolmetscher ausgebildet zu werden. Wie bereits erwähnt, war ihre einzige Qualifikation die Fähigkeit, sowohl Moghamo als auch Englisch zu sprechen und zu verstehen. Während einige von ihnen jederzeit dolmetschten, wenn sich eine Situation ergab, dolmetschten andere regelmäßig und tun dies auch heute noch, vor allem die Kirchendolmetscher. Wer sind nun wirklich die Urheber des Dolmetschens aus dem Englischen ins Moghamo? Bevor ich auf die natürlichen Dolmetscher eingehe, die im Laufe dieser Untersuchung identifiziert wurden, möchte ich einige der in Kapitel vier identifizierten natürlichen Dolmetscher hervorheben: Johannes Kisob, Menget John, Teke Moses, Mba Lucas Abruo, Mbah Martin und Moses Tawah. Aus dieser Liste ist nur einer von ihnen noch aktiv und übt weiterhin den Beruf des Kirchendolmetschers aus. Dabei handelt es sich um den oben erwähnten vorletzten natürlichen Dolmetscher. Von Buea, wo er als landessprachlicher Rundfunksprecher und Drucker tätig war, zog er in sein Heimatdorf Bessi, wo er jeden Sonntag und wann immer es nötig ist, das Wort Gottes dolmetscht. Der Forscher sah ihn am 28. Februar 2010 live in der Presbyterianischen Kirche in Kamerun (PCC), Gemeinde Bessi, dolmetschen. Die Predigt hielt der 73-jährige Njang Francis auf Englisch. Anhand seiner Ausführungen wurde deutlich, dass die Botschaft an die Christen weitergegeben wurde. Seine Königliche Hoheit Fon Richardson Mbah Forkum von Bessi, der am Ende des Gottesdienstes interviewt wurde, bestätigte diese Haltung. Trotz der schönen Darbietung fanden sich in seiner Verdolmetschung ins Moghamo englische Wörter wie satan/shatan und evil. Weitere solcher Wörter werden im weiteren Verlauf dieses Kapitels erwähnt.

Dieses Phänomen des "Code-Switching" oder "Code-Mixing" ist unter Moghamo-Sprechern durchaus üblich, obwohl es das Verständnis der Botschaft nicht immer beeinträchtigt. Mbah Mbah Jawara, 23 Jahre alt, Ältester und Gemeindesekretär, steht Herrn Mbah Martin in der Presbyterianischen Kirche Bessi zur Seite. Ihm zufolge müssen die Texte immer wieder gelesen werden, um die Botschaft besser zu verstehen und zu beherrschen, bevor sie verbreitet wird. Von den in letzter Zeit ermittelten Behelfsdolmetschern waren zwei Frauen und die übrigen Männer. Die erste weibliche Dolmetscherin aus dem Englischen ins Moghamo, auf die der Forscher stieß, ist Frau Forti Josephine Azoh, 45 Jahre alt, die im P.C. Nyenjei predigt und dolmetscht. Auf die Frage, was sie dazu gebracht hat, in diesem Bereich tätig zu werden, antwortete sie, dass sie dies der Christlichen

Frauengemeinschaft (CWF) zu verdanken hat, bei der sie eine praktische Ausbildung absolviert hat. Danach begann sie zu predigen. Als zweiten Grund nannte sie die Tatsache, dass der Laienprediger Pa Moses Tawah in letzter Zeit die Botschaft Gottes immer wieder falsch interpretierte, eine Praxis, die so viele Christen aus dem Konzept brachte. Folglich musste sie sich in ein Gebiet begeben, das nach ihrem Glauben ursprünglich den Menschen vorbehalten war. Was die Sprache betrifft, in der ihre Predigten verfasst sind, so verriet sie, dass sie im Allgemeinen auf Englisch verfasst wurden, aber in Moghamo gesichtet und übersetzt werden, wenn sie die Kanzel besteigt. Sie übt diese Tätigkeit seit fünfzehn Jahren sonntags und bei anderen christlichen Versammlungen aus. Ihrer Aussage nach dolmetscht sie zu achtzig Prozent in Moghamo und den Rest in Pidgin-Englisch. Die zweite natürliche Dolmetscherin aus dem Englischen ins Moghamo ist Frau Tingwei Agnes, die eine ähnliche Tätigkeit wie Frau Forti ausübt, allerdings in der katholischen Kirche Saint Sebastian in Batibo. Laut einem der Informanten ist Code-Switching sehr charakteristisch für das Dolmetschen aus dem Englischen ins Moghamo, wie der unvollständige Satz unten zeigt:

Kleine christliche Gemeinschaft wei Kondum wei fa'a ishu **weil**...

Die kleine christliche Gemeinschaft von Kondum arbeitet morgen, weil... In Moghamo wird man kaum sprechen, ohne sich mit anderen Sprachen zu vermischen (ein Informant). Neben den beiden oben genannten Frauen gibt es in Moghamo noch eine ganze Reihe männlicher Dolmetscher. Einige von ihnen werden hier erwähnt. In der Presbyterianischen Kirche Nyenjei dolmetschen sonntags die folgenden Personen aus dem Englischen ins Moghamo: Die Herren Njei Christopher (pensionierter Grundschullehrer), Forti Christopher (Grundschullehrer) und Nganyi Simon Foncham (ein Bauer). Einem der Informanten zufolge hält sich Nganyi Simon Foncham eher an die ursprüngliche Botschaft und vermeidet Code-Switching als die Herren Forti Christopher und Njei Christopher, die häufig von Code-Changing Gebrauch machen. Wie bereits erwähnt, ist die Praxis des

Code-Mixing der Aufnahme der Botschaft abträglich, insbesondere bei den weniger gebildeten Müttern und Vätern in der Gemeinde. Ein weiterer Dolmetscher, den der Forscher identifiziert hat, ist der 58-jährige Fondoh Daniel, der als Prediger/Dolmetscher und Ältester in P.C. Mbunjei tätig ist. Er erzählte, dass das Dolmetschen aus dem Englischen ins Moghamo eine schwierige Aufgabe ist, die manchmal zu einer falschen Verdolmetschung führt. Er ging sogar noch weiter und nannte ein Beispiel für eine Fehlinterpretation des Satzes "Jesus kam, um der Menschheit Frieden zu geben", der in Moghamo so interpretiert wurde, dass Jesus kam, um zu urinieren und den Menschen zu trinken zu geben. Der Irrtum rührte von dem Wort "Frieden" in der Ausgangsbotschaft her, das als "piss" (informelles englisches Wort für Urin) verstanden wurde. Aus Angst vor einer falschen oder unzureichenden Verdolmetschung zieht es die Gemeinde vor, auf einen "kompetenten" Dolmetscher zu verzichten, allerdings zum Nachteil der älteren Menschen, die weder Englisch verstehen noch sprechen. Herr Tebong Robert, 45 Jahre alt, ist Dolmetscher und Prediger in der Apostolischen Kirche Mbunjei. Er bereitet seine Predigten auf Englisch vor und schreibt sie auf Englisch, um sie dann ins Moghamo zu übersetzen. Er dolmetscht auch andere Prediger, die halb aufeinander folgen. Diese Aufgabe übt er seit sechs Jahren aus. Dieser natürliche Dolmetscher predigt bzw. dolmetscht auch über einen Radiosender der Gemeinde namens Voice of Moghamo (VOM). Wie bereits erwähnt, dolmetschen die meisten dieser natürlichen Kirchendolmetscher gelegentlich auch außerhalb der Kirche, wann immer und wo immer der Bedarf besteht. Die vorangegangene Diskussion über einige der Englisch-Moghamo-Dolmetscher lässt den Leser mit dem Bedürfnis zurück, die Rolle des Publikums während solcher Dolmetschaktivitäten zu kennen. Bevor die Rolle des Publikums oder der Empfänger des Dolmetschens erläutert wird, sollte noch einmal darauf hingewiesen werden, dass einige der Lehnwörter im weiteren Verlauf dieses Kapitels erwähnt werden.

5.2.1.2 Publikum/Empfänger

Das Publikum bezieht sich in diesem Zusammenhang auf die Nutznießer oder Empfänger der Dolmetschertätigkeit. Ebenso wie die oben erwähnten Dolmetscher unterscheiden sie sich hinsichtlich ihres Hintergrunds, ihrer Altersgruppe, ihrer Kategorie oder Zusammensetzung, ihres Bildungsniveaus, ihrer Lebenserfahrung, ihrer ersten Sprache(n) (Pidgin-Englisch, Moghamo, Englisch), ihres Verständnisses von Moghamo und/oder Englisch sowie anderer Sprachen. All diese Unterschiede wirken sich erheblich darauf aus, wie schlecht oder gut sie eine Verdolmetschung vom Englischen ins Moghamo verstehen. Es kommt vor, dass einige von ihnen dank ihrer Fähigkeit, Moghamo und Englisch zu verstehen und/oder zu sprechen, ein Missverständnis des Dolmetschers klar erkennen, sich aber nicht beschweren können. Manche beschweren sich aber auch offen und ändern den Lauf der Dinge. Dies ist der Fall bei einem Patienten, der von einer Krankenschwester mit Hilfe eines Behelfsdolmetschers beraten wurde. Laut Shey Lukong Felix, der aus Kumbo (Division Bui) stammt und im Saint John of God Health Centre Batibo arbeitet, gibt es einige Patienten, die den Behelfsdolmetschern erklären, dass die Nachricht, die an die Krankenschwester oder den Arzt weitergegeben wird, falsch ist. Auf die Frage, wie er erfolgreich mit Patienten kommuniziert, die nur Moghamo sprechen und verstehen, erklärte der Krankenpfleger, dass er sich der Zeichen, Gesten und der Körpersprache bedient. Die Gefahr dieser nonverbalen Sprache besteht darin, dass sie missverstanden wird und zu einer schlechten oder völlig falschen Medikation führt, was natürlich der Gesundheit des Patienten schadet. Die oben genannten Informationen und die von Shey Lukong Felix geäußerte Sorge wurden von Dr. Angwafor Samuel bestätigt, der aus Mankon (Bamenda) stammt und seit 2007 im Bezirkskrankenhaus Batibo arbeitet. Ihm zufolge werden die Beschwerden der Patienten manchmal fehlerhaft interpretiert. Um die Möglichkeit eines fehlerhaften Dolmetschens auszuschließen, nimmt er sich immer die Zeit, die Anzeichen der Krankheit und den körperlichen Ausdruck des Patienten zu studieren, während er dem Patienten genau zuhört und ihn beobachtet. Dennoch sind Fälle von falschem oder fehlerhaftem Dolmetschen selten, da die meisten dieser Patienten von ihren Kindern begleitet werden, denen sie die Krankheitsanzeichen und -symptome bereits mitgeteilt hatten. In anderen Fällen besteht die Möglichkeit, dass solche Fälle nur dann auftreten, wenn die Patienten ohne Begleitung in die Sprechstunde kommen. In letzterem Fall sind die Auswirkungen auf die zu verschreibenden Medikamente und die Gesundheit des Patienten offensichtlich. Vor diesem Hintergrund ist das Dolmetschen aus einer hochspezialisierten und entwickelten Sprache wie Englisch in eine nationale Sprache wie Moghamo, in der die Kommunikation enger ist, eine große Herausforderung.

5.2.2Die Interpretation der Landschaft in Moghamo

Aus der obigen Diskussion über das Dolmetschen in Moghamo lassen sich einige Punkte hervorheben. In Anbetracht der Tatsache, dass alle Dolmetscher, die aus dem Englischen ins Moghamo dolmetschen, nicht ausgebildet sind und dass verschiedene englische Begriffe in Moghamo nicht verfügbar sind, wurden die folgenden Merkmale der Dolmetschlandschaft in dem untersuchten Gebiet festgestellt. Beim Dolmetschen aus einer LWC in eine LNC ist das eigentümlichste und häufigste Phänomen die Wahl des Codes, Code-Switching, Code-Changing oder Code-Mixing (Wolff 2000:316). Nach Ansicht dieses Autors bezieht sich Code-Mixing auf jeden Fall auf die abwechselnde Verwendung von zwei oder mehr Sprachen innerhalb desselben Gesprächs oder Diskurses durch denselben zweisprachigen Sprecher. Code-Mixing kann also entweder in Form von Entlehnungen oder Code-Switching erfolgen (Wolff 2000:316), wobei zu betonen ist, dass Entlehnungen, wie oben erwähnt, eine Ad-hoc-Strategie zur Behebung eines vorübergehenden oder dauerhaften Mangels an Vokabular sind. Tatsächlich mangelt es im Moghamo im Vergleich zum Englischen permanent an bestimmten Begriffen, die im Englischen leicht auszudrücken sind. In Anlehnung an die in Kapitel zwei genannten Merkmale von LWCs und LNCs ist es ein offenes Geheimnis, dass es in Moghamo an einer beträchtlichen Anzahl von lexikalischen Elementen mangelt. Um diesen Missstand zu beheben oder die Kluft zwischen diesen Sprachen zu verringern, wird die Codemischung zu einer vorübergehenden und/oder dauerhaften Lösung. Aufgrund der ständigen Praxis dieses Phänomens des Code-Wechsels ist es zu einem festen Bestandteil der täglichen Konversation unter Moghamo-Muttersprachlern geworden; ganz zu schweigen von den natürlichen Dolmetschern, die fast ständig an der zweisprachigen Kommunikation beteiligt sind. Im Bewusstsein der Tatsache, dass Code-Switching unter den Moghamo-Muttersprachlern mittlerweile eine bevorzugte Stellung einnimmt, ist diese neue Sprachform neben den beiden anderen Codes der beiden Sprachen, wie sie im einsprachigen Diskurs verwendet werden, zu einem "eigenständigen dritten Code" geworden, der den zweisprachigen Sprechern zur Verfügung steht. Neben direkten oder teilweisen Entlehnungen greifen Englisch-Moghamo-Dolmetscher auch auf Erklärungen, Prägungen oder Anpassungen zurück. Typische Beispiele für direkte Entlehnungen oder Lehnwörter aus dem Englischen im Moghamo werden weiter unten in diesem Kapitel aufgeführt. Es sei darauf hingewiesen, dass die Anzahl der Lehnwörter, die in der Kommunikation eines jeden natürlichen Dolmetschers zur Verfügung stehen, in hohem Maße von der Beherrschung des Englischen und des Moghamo, dem Bildungsstand, der Exposition und der Erfahrung in seinem Beruf abhängt. Ein weiteres Merkmal ist die Tatsache, dass diese natürlichen Dolmetscher von der gesamten Gemeinschaft bewundert werden. Da sie viel Macht haben und viel Respekt genießen, neigen sie dazu, manchmal unehrlich zu sein oder sogar unverhohlene Lügen zu erzählen, um nicht gedemütigt zu werden. Zu den oben genannten Merkmalen kommt noch hinzu, dass das Arbeitsumfeld für das Dolmetschen manchmal nicht sehr geeignet ist, z. B. wenn das Dolmetschen unter freiem Himmel oder in einer lauten Umgebung ohne Lautsprecher erfolgt. Schließlich werden auch keine Notizbücher verwendet, wie es bei professionellen Dolmetschern üblich ist. Wie bereits erwähnt, wird das Dolmetschen vom Englischen ins Moghamo und umgekehrt halbkonsekutiv durchgeführt. Aus diesem Grund sind Notizbücher hier nicht unbedingt erforderlich. Eng verbunden mit dem Fehlen von Notizbüchern ist das Fehlen von Dolmetscherkabinen, da das Simultandolmetschen nicht praktiziert wird. Die oben genannten Merkmale lassen den Eindruck entstehen, dass das Dolmetschen aus einer LWC wie dem Englischen in eine LNC wie Moghamo mit einer Reihe von Herausforderungen verbunden ist.

5.2.3Herausforderungen beim Dolmetschen aus dem Englischen ins Moghamo

Das Dolmetschen aus einer weit verbreiteten und wissenschaftlich und technisch hoch entwickelten Sprache wie dem Englischen in eine weniger entwickelte Sprache wie Moghamo ist mit einer Vielzahl von Herausforderungen verbunden. Die Herausforderungen reichen vom Entwicklungsstand beider Sprachen über die Verfügbarkeit von Dolmetschern bis hin zur Übertragung fehlerhaften Dolmetschens von der Ausgangs- auf die Zielsprache: Moghamo ist zwar eine eigenständige Sprache, hat aber im Vergleich zum weit verbreiteten und entwickelten Englisch einen sehr begrenzten Wortschatz. Ein eklatantes Beispiel ist das 2129 Seiten umfassende Webster's Dictionary of English im Vergleich zu einem verfügbaren oder noch zu erstellenden Moghamo-Wörterbuch, das vielleicht nicht einmal 200 Seiten umfasst. Es ist zu betonen, dass das oben genannte englische Wörterbuch nicht einmal alle möglichen englischen Wörter enthält. In Anbetracht des obigen Beispiels liegt es auf der Hand, dass englische Wörter beim Dolmetschen ins Moghamo direkt entlehnt, geprägt oder erklärt werden müssen. Nach Mutaka und Tamanji (1995:231) bedeutet Entlehnung die direkte Übernahme fremder lexikalischer Elemente aus anderen Sprachen in die Zielsprache, mit der sie in Kontakt sind. Zwei Hauptfaktoren motivieren das Entlehnen: Prestige und Notwendigkeit (Bedürfnisgefühl). So werden Entlehnungen aus dem Englischen ins Moghamo zwar manchmal aus Prestigegründen vorgenommen, aber in der Regel, weil die Notwendigkeit besteht, dies zu tun, um mit dem Zustrom neuer Ideen oder Konzepte aus dem Englischen fertig zu werden. Wie bereits angedeutet, fehlen im Moghamo geeignete und leicht verfügbare lexikalische Elemente, um die Kette neuer englischer Konzepte auszudrücken, völlig. Dieser Umstand ist der Grund für die Fülle an englischen Lehnwörtern im Moghamo. Die zweite Herausforderung, der man sich stellen muss, ist der Mangel an "natürlichen Dolmetschern". Aufgrund ihres "behelfsmäßigen" Charakters ist es nicht einfach, an sie heranzukommen. Dies erklärt, warum die meisten von ihnen, vor allem die unsicheren, ihr Fachgebiet nicht beherrschen. Manchmal werden sie spontan gerufen, um sich mit einer Situation auseinanderzusetzen. Diese mangelnde Beherrschung der Materie wirkt sich zweifellos auf die Botschaft aus, und so entsteht eine dritte Herausforderung, nämlich die des fehlerhaften Dolmetschens. Wie bereits beim medizinischen Dolmetschen erwähnt, sind die Auswirkungen auf die Gesundheit eines Patienten enorm. Dieser kann entweder an einer falschen Verschreibung sterben oder gelähmt werden. Beim juristischen Dolmetschen kann der Angeklagte zu Unrecht eine Haftstrafe verbüßen, die bei fehlerfreiem Dolmetschen hätte vermieden werden können. Da es sich beim Dolmetschen hauptsächlich um eine mündliche Tätigkeit handelt, ist es eine erwiesene Tatsache, dass die oben genannten Herausforderungen, insbesondere das Vorhandensein von Fremdwörtern (vor allem des Englischen), Auswirkungen auf die Art und Weise haben, wie Moghamo überhaupt gesprochen oder wahrgenommen und natürlich geschrieben wird.

5.2.4 Auswirkungen des Dolmetschens aus dem Englischen ins Moghamo

Die Auswirkungen des Dolmetschens aus dem Englischen ins Moghamo werden auf drei Ebenen erörtert: Publikum oder Empfänger der Botschaft, Moghamo-Sprecher und Moghamo-Sprache. Die Auswirkung kann negativ oder positiv sein.

5.2.4.1 Zuhörerschaft

Die Auswirkungen auf die Empfänger der Kommunikation in Moghamo sind, wie bereits oben erwähnt, offensichtlich. Da die oben erwähnten natürlichen Dolmetscher wenig oder gar keine Kenntnisse über die Berufsethik haben, werden die Zuhörer im Allgemeinen falsch informiert und sogar ausgenutzt. In Kapitel vier wurde bereits der Dolmetscher erwähnt, der aus egoistischen Gründen eine Partei in einem Fall aufforderte, zusätzlich zu einer vom Abteilungsleiter verhängten Geldstrafe zwei Ziegen mitzubringen. In diesem Fall besaß der Dolmetscher die Ziegen, anstatt sie, wie er behauptete, an den Divisionsbeamten weiterzuleiten.

5.2.4.2 Über Moghamo-Lautsprecher

Es wurde bereits erwähnt, dass kaum ein Moghamo-Muttersprachler ein Gespräch oder einen Dialog beenden wird, ohne einen Code-Wechsel vorzunehmen. Diese Praxis ist nicht nur eine Folge des Sprachkontakts, sondern auch das Ergebnis jener hoch angesehenen und sogar verehrten natürlichen Dolmetscher, die dies ungestraft tun. Da sie von vielen bewundert werden, neigen andere Sprecher dazu, sie als Schrittmacher zu betrachten. Das Code-Switching und andere Faktoren tragen wesentlich zur Fülle der englischen Lehnwörter in Moghamo bei.

5.2.4.3 Über die Moghamo-Sprache

Es wurde bereits erwähnt, dass die Dolmetschertätigkeit zu einer Vielzahl von englischen Lehnwörtern im Moghamo geführt hat. Es ist diese große Zahl, die der Forscher als negativ ansieht, weil sie die Existenz und das Überleben des Moghamo als eigenständige Sprache bedroht. Die Folge dieser Praxis ist das, was der Forscher als hybrides Moghamo bezeichnet, oder die Entstehung einer völlig neuen Sprache im Laufe der Zeit. Ein Informant äußerte sogar offen seine Angst und Besorgnis darüber, dass das Moghamo in den nächsten zwanzig Jahren aussterben könnte, wenn nicht dringend etwas zu seinem Schutz unternommen wird: Seit jeher hat sich die Moghamo-Sprache wie jede andere Sprache der Welt verändert und wird sich auch weiterhin verändern. Wie kommt es übrigens zu einem Sprachwandel? Eine solche Situation kann durch eine Reihe von Ursachen hervorgerufen werden. Es sei darauf hingewiesen, dass der Sprachwandel ebenso wie die Mode unvorhersehbar ist. Meistens entwickelt sich die Sprache durch das Eindringen von Fremdwörtern, was schließlich zu einer permanenten Entlehnung führt (Aitchison, 2001:139). Unabhängig vom sozialen und institutionellen Status der Sprachen, die an einer Kontaktsituation beteiligt sind, ist es daher selbstverständlich, dass eine Sprache Wörter aus einer anderen entlehnt und umgekehrt.

Wie in der Einleitung zu dieser Arbeit erwähnt, soll die Analyse der gesammelten Daten auf vier Ebenen erfolgen: Phonologie, Morphologie, Semantik und Lexikologie. Wie viele andere indigene Sprachen ist auch Moghamo eine noch zu standardisierende Sprache. In dieser Arbeit werden diese Bereiche synchron und diachron untersucht: sowohl die vergangenen als auch die gegenwärtigen Merkmale des Moghamo.

5.2.4.3.1 Phonologische Entwicklung

Unter Phonologie versteht man die Lehre vom Lautsystem einer Sprache. Wann immer zwei Sprachen miteinander in Kontakt kommen, wird die Phonologie entweder der Geber- oder der Nehmersprache beeinflusst. Moghamo ist da keine Ausnahme. Die wenigen verfügbaren Übersetzungswerke und die Dolmetschertätigkeit haben sicherlich zur Entwicklung dieser Sprache beigetragen. In diesem Teil der Arbeit werden die Auswirkungen auf die Aussprache einiger Fremdwörter untersucht, die heute einen festen Bestandteil des Moghamo bilden.

Tabelle II: Beispiele für phonologische Entwicklung

Moghamo	Englisch
Bje	Birne
tere, ωed mashin	Schneider
Sukà	Zucker
Tebrè	Tabelle
Kàsàra	Maniok
Kàràsi	Kerosin
Motù	Motor
Àlàpa	Umschlagtuch (Lendenschurz)
Lobà	Gummi
Aloplên	Flugzeug
Kànu	Kanu
Pasto	Pfarrer
Boket	Eimer
Basiko	Fahrrad
Pèncere	Stift
Ledyie	Radio
Ama	Hammer
Wàshi	Uhr (a)
Tàm	Zeit

Die oben genannten Wörter stellen eine Auswahl dar, um zu zeigen, wie die Aussprache der Spendersprache(n) verändert und an das Moghamo-Lautmuster angepasst wurde. Aus ihrer Aussprache lässt sich schließen, dass ein Moghamo-Muttersprachler generell dazu neigt, den /r/-Laut in der Gebersprache durch den /l/-Laut zu ersetzen: **wrapper** wird im Englischen àlàpa und aloplên ausgesprochen. Es sei darauf hingewiesen, dass die oben genannten Beispiele nur zwei von vielen Fällen sind, in denen das Moghamo-Lautsystem betroffen ist.

5.2.4.3.2 Morphologische Entwicklung

Nach der kurzen Erörterung der phonologischen Entwicklung ist der nächste zu untersuchende linguistische Aspekt die Morphologie oder Wortbildung, bei der nur Plural- und Singularnomen untersucht werden. Nach Mutaka und Tamanji (1995:233) werden Fremdwörter im Allgemeinen und regelmäßig morphologischen Veränderungen unterzogen, um sie an die phonologischen und Silbenstrukturen der aufnehmenden Sprache anzupassen. Manchmal beinhaltet dies die Affixierung neuer Laute an der Anfangsposition von Wörtern, wie in den folgenden Beispielen dargestellt:

English	**Moghamo**	
	Singular	**Plural**
Mango	*i-mango*	*mbi-maŋgo*
Pear	*i-bié*	*mbi-bié*
Rubber	*i-lobà*	*mbi-loba*
Banana	*a-banana*	*mbi-banana*
Lamp	*a-nam*	*i-nam*
Wrapper	*a-làpa*	*i-làpa*

Wie in den fünf obigen Beispielen gezeigt, werden die Vokale **i-** und **a-** den aus dem Englischen entlehnten Singularwörtern vorangestellt, um dem Substantivklassensystem des Moghamo zu entsprechen, das ein Präfix erfordert. In ähnlicher Weise werden Pluralmorpheme wie **mbi-** und **i-** an die Anfangsposition der Lehnwörter angehängt, um deren Pluralformen zu erhalten. Indem diese Morpheme an die Fremdwörter angehängt werden, können sie leicht in das Moghamo eingefügt werden, was sich auch auf die Morphologie auswirkt. Oftmals stellen einige dieser neu gebildeten Wörter sowohl für

Muttersprachler als auch für Nicht-Moghamo-Sprecher semantische Probleme dar.

5.2.4.3.3 Semantische Entwicklung

Die Dolmetschertätigkeit hatte und hat auch Auswirkungen auf die Semantik oder die Bedeutung der Moghamo-Wörter. Die Semantik befasst sich mit der Untersuchung der Bedeutung(en) von Wörtern in einer Äußerung. Die semantische Evolution befasst sich mit dem Bedeutungswandel, den bestimmte lexikalische Elemente im Laufe der Zeit erfahren haben. Dieser Wandel wird in der Regel durch sprachliche, historische, soziale und psychologische Ursachen hervorgerufen (McMachon, 1994:179). Aufgrund der Häufigkeit der Verwendung gelten einige Wörter im Moghamo heute als veraltet. Andernorts denkt die jüngere Bevölkerung (Sprecher unter 50 Jahren), dass diese Wörter für die sehr alten Moghamo-Sprecher bestimmt sind. Aufgrund der Koexistenz des Moghamo mit anderen Sprachen werden einige dieser Wörter nach und nach durch Lehnwörter aus diesen Fremdsprachen ersetzt. Das erste Beispiel ist das Wort ekam (eintausend), das heute als toshin mo' oder toshin fibi bezeichnet wird. Nur wenige Moghamo-Sprecher werden verstehen, dass das Wort ekam sich auf tausend Franken bezieht. Andere Beispiele sind nyəi (Fenster) und fighai (Tisch), die durch angepasste Lehnwörter wie windo bzw. tebre ersetzt wurden. In ähnlicher Weise hat ein anderes entlehntes Wort wie boket das ursprüngliche aloŋgà ersetzt, das von vielen Sprechern als veraltet angesehen wird. Einige andere Moghamo-Wörter haben durch den Sprachkontakt eine semantische Erweiterung erfahren, darunter minù, das im Englischen Wein (Getränk) bedeutet. Die Bedeutung dieses Wortes wurde auf Ausdrücke wie minùkarà oder minù nemi nemire ausgeweitet, die jedes weiche oder süße alkoholfreie Getränk bezeichnen, und minù bié bedeutet Bier oder alkoholisches Getränk. Aus sozialen Gründen haben einige andere Wörter, die sich ursprünglich nur auf einen Gegenstand bezogen, heute eine doppelte Bedeutung, wie zum Beispiel das Wort ŋgondere, das früher nur Becken bedeutete. Im Laufe der Zeit erhielt es eine zweite Bedeutung (junges Mädchen), da diese Schüsseln in der Regel von jungen Frauen getragen wurden (Auskunft eines Informanten). Ein weiteres Beispiel ist das Wort ifami, das ursprünglich die Zahl acht bedeutete. Mit dem Aufkommen des erworbenen Immundefizienzsyndroms (AIDS) haben die Moghamo-Sprecher jedoch auf der Suche nach einer Entsprechung für diese neue Krankheit diesem Wort eine neue Bedeutung zugewiesen. Wenn ein Moghamoaner das Wort ifami ausspricht, bezieht es sich derzeit entweder auf AIDS oder auf **acht**, da beide Wörter im Englischen ähnlich ausgesprochen werden. Daher ist ifami (AIDS) eine Übersetzung oder Interpretation der Zahl acht. Nach diesem Schwerpunkt auf der semantischen Entwicklung wird im nächsten Unterabschnitt erörtert, inwieweit sich Übersetzung und Interpretation auf das Moghamo-Lexikon ausgewirkt haben.

5.2.4.3.4 Lexikalische Entwicklung

Der Begriff Lexik bezieht sich auf die Gesamtheit der Wörter einer Sprache. Die lexikalische Evolution oder Entwicklung einer Sprache befasst sich mit entlehnten Wörtern oder der Einführung neuer Wörter als Ergebnis von Sprachkontakten. Die meisten dieser Fremdwörter aus anderen Sprachen, die jetzt Teil der Moghamo-Sprache sind, lassen sich auf folgenden Ebenen feststellen: Spracherweiterung durch Explikation oder Beschreibung und Spracherweiterung durch direkte Entlehnung. Obwohl andere Lehnwörter aus anderen Sprachen - Französisch, Deutsch, Mungaka, Duala - in Moghamo täglich verwendet werden, werden die im Folgenden vorgestellten Wörter nur aus dem Englischen bzw. seiner Mischform Pidgin-Englisch entnommen, da der Schwerpunkt dieser Studie auf dem Dolmetschen aus dem Englischen ins Englische liegt. Neben den englischen Wörtern, die hervorgehoben werden sollen, sind auch andere aus einer Mischform des Englischen - dem Pidgin-Englisch - in der Liste enthalten. Diese Wörter sind in verschiedene Bereiche eingedrungen, z. B. Lebensmittel und Getränke, Bildung, Religion, Personennamen, Wohnung und Haushaltsgegenstände, Medizin, Informations- und Kommunikationstechnologien und nicht klassifizierte Sammlungen aus gedolmetschten Predigten/Reden. Einige der Wörter, die teilweise oder dauerhaft aus dem Englischen und/oder Pidgin-Englischen entlehnt wurden, werden im Folgenden unter den oben genannten Bereichen aufgeführt. Jede Liste besteht aus drei Spalten: Englisch, Moghamo und Glosse/Bemerkung.

5.2.4.3.4.1 Lebensmittel und Getränke

Hierher gehören die Bezeichnungen von Getränken, Lebensmitteln und anderen verwandten Artikeln, die in drei Spalten aufgeführt sind, wie oben angegeben.

(Pidgin) Englisch	Moghamo	Glanz/Markierung
Zucker	suka	Anpassung
Birne	bie/pia	Anpassung
Maniok	kasara	Anpassung
Mango	Mango	Direktausleihe
Banane	Banane	Direktausleihe
Cocoyam	anañ kara	Whiteman
Reis	akon kara	Weiße Bohnen
Pferd	Nyam Kara	Weißes Tier
Wegerich	Ingon-Kara	Whiteman
Torte	gato	Direktausleihe
Garri	garri	Direktausleihe
Mehl/Blumen	frawa	Anpassung/D.B.
Kaugummi	Kaugummi	Direktausleihe
Ananas	Panapo	Direktausleihe
Puff-Puff	Puff-Puff	Direktausleihe
Erfrischungsgetränk /Süßgetränk/	minu nem nemi/	Erklärung
Alkoholfreies Getränk	Minu Kara	Whiteman-Getränk
Bier/alkoholisches Getränk	minu bie	Erklärung
Guiness	Guinishi	Anpassung/D.B.
33" Ausfuhr	Tri tri	Direktausleihe
Whisky	wishiki	Anpassung/D.B.

5.2.4.3.4.2 Bereich der Bildung

Das Bildungswesen ist ein weiterer Bereich, der vom Englisch-Moghamo-Dolmetschen stark betroffen ist, wie die folgenden Beispiele zeigen.

Englisch	Moghamo	Glanz/Markierung
Lehrer	ticha	Direktausleihe
Kreide	Kreide	Direktausleihe
Lineal	ikoghe anwai	Erklärung/Zeile des Buches
Schule	neb nwai	Erklärung/Haus des Buches
Klassenzimmer/Schule	krass/klasse	Anpassung/D.B.
Madame Ausleihe	Madame	direkt
Stiftausleihe	Stift	direkt
Bleistift	pencere	Anpassung/D.B.

5.2.4.3.4.3 Bereich der Religion

In diesem Bereich gibt es eine beträchtliche Anzahl dieser Fremdwörter, die jetzt regelmäßig in Moghamo verwendet werden.

Englisch	Moghamo	Glanz/Markierung
Engel	angrishi	Anpassung
Heidnische	heidnisch/heidnisch	Direktausleihe
Vater/Priester	fa'da	Direktausleihe
Christian	Christian/verheiratet Yesu	D.B./Person von Jesus
Sakramentenordnung	Sakramentenordnung	Direktausleihe
Taufe	Nighe Minib	Erklärung
Weihe	Einweihung	Direktausleihe
Katholisch	catoro	Anpassung/ D.B.
Altar	Altar	Direktausleihe
Kommunion	Kommunion/itari	Direktausleihe
Masse	Masse	Direktausleihe
Kirche	kirche/neb nwei	Direktausleihe
Satan	satan	Direktausleihe
Fasten	fastiñ	Direktausleihe
Bereuen	reifen	Direktausleihe
Bibel	babre	Anpassung/D.B.
Bestrafung	ponismenn	Direktausleihe
Bestrafen	poni	Anpassung/D.B.
Weihnachten	krisimed	Anpassung/D.B.
Jesus Christus	Yesu Kristo	Anpassung/D.B.

5.2.4.3.4.4 Namen von Personen

Englische Namen, die in Moghamo entlehnt wurden, umfassen eine Mischung aus englischen und moghamoischen Namen, englischen und englischen Wörtern oder eine Erklärung eines Ereignisses, das der Namensgeber schätzt. Diese Liste enthält auch Beispiele für englische Pidgin-Namen.

(Pidgin) Englisch Moghamo Gloss/Remark

Mary Mary direkt ausleihen
Susan Susanna direkt ausleihen
Angeline Angelina direkt ausleihen
Peter Pita Direktausleihe
Parlament (arian) Parliam Anpassung/gekürzt
Good Sunday Sunday Chom-Mischung
Fainboy Fainboy Fine Boy
Anono Anono Ich weiß es nicht
Anoshabi Anoshabi Ich weiß nicht (es)
Faingrashi Faingrashi Feines Glas
Godnode Godnode Gott existiert nicht
Anolekam Anolekam Ich mag es nicht
Anogetam Anogetam Ich habe nicht
Justman Justman Ein gerechter Mann

Die obige Liste ist nicht erschöpfend, da sie recht lang und vielfältig ist. Laut Werebesi (2008:117) wurde eine Geschichte über den Namen Anono erzählt. Demnach wurde er an einem Kontrollpunkt nach seinem Namen gefragt und antwortete: Anono. Zum Unglück dieses Mannes verstand der kontrollierende Polizist ihn falsch und dachte, der Mann wolle ihn necken, weil er sich weigerte, ihm seinen Namen zu sagen. Diese Situation führte zu einer ernsthaften Auseinandersetzung, und wenn nicht die anderen Fahrgäste eingegriffen hätten, die erklärten, dass dies der richtige Name des Mannes sei, wäre dieser ausgepeitscht und zu einer Polizeistation gebracht worden. Es ist anzumerken, dass viele der oben genannten englischen Pidgin-Namen allmählich aussterben und nur wenige daran interessiert sind, ihren Nachkommen solche Namen zu geben. Ein Beispiel dafür ist der Name Parliam. Diesen Namen gab Fon G.T. Mba II seiner Tochter, um sie an die Zeit zu erinnern, in der er Abgeordneter für Batibo (1978-1983) in der kamerunischen Nationalversammlung war. Weitere Nachforschungen werden sicherlich die Gründe für andere Namen ans Licht bringen.

5.2.4.3.4.5 Haushaltsgegenstände und Gehäuse

Dies ist ein weiterer Bereich, in dem Fremdwörter aus dem Englischen regelmäßig in Moghamo verwendet werden, da diese Begriffe in Moghamo nicht vorhanden sind. Dies wird an den folgenden Beispielen deutlich:

Englisch	Moghamo	Glanz/Markierung
Zink	Zink	Direktausleihe
Zink	ichok kara	Pfingstrosen
Tabelle	tebré	Direktausleihe
Lampe	anam	Prägung/Anpassung
Glas	grashi	Prägung/Anpassung
Fenster	windo	Direktausleihe
Schrank	Schrank	Direktausleihe
Kopfkissen	pire	Prägung/Anpassung
Fackel	Fackel	Direktausleihe

Es ist zu betonen, dass diese Liste, wie in anderen Bereichen auch, nicht vollständig ist. Wie aus dem oben Gesagten hervorgeht, sind die

Fremdwörter entweder direkt entlehnt oder geprägt und an das Moghamo-Lautsystem angepasst worden.

5.2.4.3.4.6 Medizinischer Bereich

Der medizinische Bereich ist ein weiterer Bereich, in dem englische Entlehnungen in Moghamo leicht verwendet werden. Die konventionelle Medizin wurde in Moghamo mit dem Aufkommen von Missionaren und/oder Kolonialherren eingeführt, wie in Kapitel vier dieser Arbeit dargestellt. Aus diesem Grund wurden englische Begriffe, die im Moghamo ursprünglich nicht vorhanden waren, einfach entlehnt oder geprägt, um sie an die Sprache des Moghamo anzupassen. Im Laufe dieser Untersuchung wurden die im Folgenden vorgestellten Wörter identifiziert.

English	Moghamo	Gloss/Remark
Doctor	docta	direct borrowing
Nurse	noshi	Coinage/D.B.
Hospital	watabita.	coinage/adaptation
Hospital	néb won	House of illness
Hospital	woshbita	direct borrowing
Fever	fiba	direct borrowing
AIDS expansion	ifami	eight/ semantic

Das letzte Wort oben, ifami, hat in Moghamo seit dem Aufkommen von HIV/AIDS eine doppelte Bedeutung. Als möglicher Grund wird die Tatsache angeführt, dass **AIDS** wie die Zahl **acht** klingt, die in Moghamo ifami entspricht. Aus diesem Grund sehen die Moghamo-Sprecher nichts Falsches daran, die oben genannte Krankheit als solche zu bezeichnen.

5.2.4.3.4.7 Informations- und Kommunikationstechnologien (ITCs)

Aus den bereits erwähnten Informationen geht hervor, dass die einheimische Bevölkerung der Moghamo vor dem Aufkommen der ITC über ihre eigenen Kommunikationsmittel verfügte. Als die ITC neue Konzepte einführten, wurden die meisten dieser neuen Begriffe entlehnt. Im heutigen Lexikon der Moghamo werden Lehnwörter wie ledyie (Radio), terevision (Fernsehen), Brief, Internet und E-Mail regelmäßig verwendet. Diese Wörter werden heute zum Nachteil jener Kommunikationsmittel verwendet, die in der Vergangenheit regelmäßig eingesetzt wurden.

5.2.4.3.4.8 Nicht klassifizierte Sammlung von gedolmetschten Predigten / Reden

Nach der Hervorhebung von (Pidgin-)Entlehnungen des Englischen aus bestimmten Bereichen, die normalerweise in Moghamo verwendet werden, ist es von Bedeutung, eine Liste von nicht klassifizierten entlehnten oder fremden Wörtern zu präsentieren, die aus gedolmetschten Predigten, Reden und/oder Interviews gesammelt wurden, die im Laufe der Untersuchung angehört und/oder aufgezeichnet wurden. In der Einleitung zu dieser Studie wurde unter Methodik angegeben, dass die Datenerhebung durch die Aufzeichnung von gedolmetschten Predigten/Reden und Interviews erfolgt, daher der Sinn dieser Sammlung zum jetzigen Zeitpunkt. Die kursiv gesetzten Wörter sind in beliebiger Reihenfolge aufgeführt. Dazu gehören Titel, Rat, Bürgermeister, Spitzname (mit freundlicher Genehmigung Seiner Königlichen Hoheit Fon Richardson Mbah Forkum von bessi), Yeso (Jesus), Satan, Mami Water Paulo (Paul), Korintho (Corinthian) und Gruppe (mit freundlicher Genehmigung von Mbah Martin von P.C. Bessi). Die folgende Gruppe von Lehnwörtern stammt aus einer Predigt von Eric Ndangoh vom 21. März 2010 und wurde von Forti Christopher gedolmetscht: Hebräer, Kapitel 7, Vers 24-27, Jesus Christus, ewiger Friede, Priester, kathoro, Griechen, Altes Testament, mbi Gesetz Nwei (Gottes Gesetze),

Macht, pasto, Prediger, Prophet, Bestechung und Korruption, Shatan, Kirche, distob (stören), Lehrer, Engel Nwei (Gottes Engel), Psalmen 34, Hohepriester und Amen. Der letzte Satz stammt aus einer Predigt von Forti Christopher, die von Nganyi Simon Foncham am Sonntag, dem 11. April 2010, gedolmetscht wurde: Uniform, Yerusalem (Jerusalem), Esel, Israeliten, Prohet, Palmsonntag, Offenbarung, Jude, Soldat und Schnee.

Was die anderen angeht (Werebesi 2008:128), so wurden sie in Interviews gesammelt: wie ich sagte, und so, weil, so, polishi (polnisch), somonsi (Vorladung), garum (Wachraum), washi (Uhr), tam (Zeit), main (Geist), chusi (wählen), offisa (Offizier), porishi (Polizist), shanatre (Sanitäter), kamfa (Kampfer), manyo (Dung), fipti (fünfzig Franken), franshi (Französisch), shimi (Slip: weibliche Unterwäsche) und trosha (Hose).

Aus der obigen Zusammenstellung ging hervor, dass die Anzahl der Fremdwörter in der Version eines Dolmetschers von einer Reihe von Gründen abhängt: Ausmaß des Kontakts mit der englischen Sprache (Stadt, Schule oder Dorf), Bildungsniveau, Beruf und Lebenserfahrung. Diese Tatsachen wurden durch die Verdolmetschung von Forti Christopher im Vergleich zu der von Nganyi Simon Foncham deutlich. Es sei daran erinnert, dass ersterer ein Grundschullehrer ist, der regelmäßig mit der englischen Sprache in Berührung kommt, während letzterer ein Bauer ist, der die meiste Zeit auf dem Dorf verbringt. Aus den vorstehenden Listen von Lehnwörtern in verschiedenen Bereichen ergibt sich zwangsläufig, dass Moghamo in nicht allzu ferner Zukunft aussterben könnte. Es besteht sogar die Möglichkeit, dass sich aus dieser Praxis eine völlig andere Sprache entwickelt. Aufgrund dieser Vielzahl englischer (Pidgin-)Wörter geht der Forscher davon aus, dass sich das Dolmetschen aus einer LWC wie dem Englischen in eine LNC wie Moghamo negativ auf letztere auswirkt, auch wenn dieser Standpunkt umstritten ist.

KAPITEL VI

ALLGEMEINE SCHLUSSFOLGERUNG

6.0 Einführung

Das letzte Kapitel dieser Arbeit enthält eine allgemeine Schlussfolgerung, die die Arbeit zusammenfasst, eine Synthese der gewonnenen Erkenntnisse vornimmt, die Hypothese verifiziert, Empfehlungen ausspricht, auf Schwierigkeiten hinweist und Vorschläge für weitere Forschungsarbeiten macht.

6.1 Synopsis der Arbeit

Wenn man Gottesdiensten, Gerichtssitzungen und Reden von Moghamo-Muttersprachlern beiwohnt, stellt man fest, dass die Verdolmetschung oder mündliche Übersetzung mit einer Fülle von Lehnwörtern aus dem Englischen, dem Pidgin-Englischen und anderen Kolonialsprachen in Moghamo gefüllt ist. Manchmal fragt man sich, ob diese Unzahl von Fremdwörtern Moghamo nicht in eine Hybridsprache oder ein Pidgin-Moghamo verwandeln wird. Vor diesem Hintergrund hat sich die Forscherin vorgenommen, die Herausforderungen zu untersuchen, die sich ergeben, wenn das Dolmetschen von einer Sprache der breiteren Kommunikation in eine Sprache der engeren Kommunikation erfolgt: der Fall von Englisch und Moghamo. Mit anderen Worten, die Arbeit versuchte zu beschreiben, wie erfolgreich oder erfolglos das Dolmetschen aus dem Englischen ins Moghamo sein kann. In Anbetracht der oben genannten Problematik wurde die Hypothese aufgestellt, dass für ein angemessenes und einfaches Dolmetschen aus einer breiteren Kommunikationssprache wie Englisch/Pidgin-Englisch in eine engere Kommunikationssprache wie Moghamo diese Sprache sprachlich entwickelt werden muss. Wird dies vernachlässigt, wird ein Dolmetscher, der aus einer LWC-Sprache ins Moghamo dolmetscht, immer vor großen Herausforderungen stehen. Um zu sehen, inwieweit das oben genannte Ziel erreicht und die Hypothese überprüft werden kann, wurden Interviews und teilnehmende Beobachtung als Instrumente zur Datenerhebung eingesetzt.

6.2 Synthese der Befunde

Nach der Durchführung der Untersuchung wurden die folgenden Ergebnisse erzielt:

a- Das Dolmetschen aus einer LWC-Sprache wie dem Englischen in eine LNC-Sprache wie Moghamo ist mit einer Vielzahl von Problemen behaftet. Es sind offensichtlich diese zahlreichen Herausforderungen, die zu der Fülle von Lehnwörtern beigetragen haben, die jede Verdolmetschung aus dem Englischen ins Moghamo überfluten;
b- Eng damit verbunden ist das Verhalten der Dolmetscher, die aus dem Englischen ins Moghamo dolmetschen, und der Moghamo-Sprecher insgesamt, die Codes zu mischen und zu wechseln;
c- Es wurde auch festgestellt, dass das Dolmetschen aus dem Englischen ins Moghamo sowohl negative als auch positive Auswirkungen auf die letztere Sprache hat. Obwohl man davon ausgeht, dass, wenn zwei Sprachen in Kontakt kommen, beide voneinander profitieren. Bei dem vorliegenden Paar ist das nicht der Fall, denn es scheint, dass Englisch die vorherrschende Sprache ist, was zum möglichen Aussterben von Moghamo führen könnte, wenn nicht darauf geachtet wird;

d- Genauer gesagt ist es die weniger entwickelte Sprache, die sich mehr von der fortgeschrittenen Sprache leiht, wie in diesem Kontakt zwischen Moghamo und Englisch zu sehen ist. Diese Praxis ist auf die Nichtexistenz einer Vielzahl englischer Begriffe im Moghamo zurückzuführen. Tatsächlich wurden Phonologie, Lexikon, Morphologie und Semantik des Moghamo bereichert und werden dies auch weiterhin tun, solange die beiden Sprachen in Kontakt bleiben. Es ist erwähnenswert, dass einige Begriffe, die im Moghamo vor dem Kontakt mit dem Englischen existierten, einfach verschwunden sind und neuen Begriffen aus der Gebersprache (Englisch - ein LWC) Platz

gemacht haben;
e- dass es an ausgebildeten Dolmetschern aus dem Englischen ins Moghamo fehlt. Nur temporäre natürliche Übersetzer/Dolmetscher erledigen die Arbeit; und
f- dass professionelles Dolmetschen in Moghamo derzeit überhaupt nicht vorhanden ist oder nicht praktiziert wird; und
Dies führt dazu, dass natürliche Übersetzer/Dolmetscher schnell und einfach auf direkte Entlehnungen zurückgreifen, wenn sie nicht weiterkommen. Diese Schlussfolgerungen sind nicht ohne Hürden zustande gekommen.

6.3 Überprüfung der Hypothese

In der Einleitung zu dieser Arbeit wurde die Hypothese aufgestellt, dass das Dolmetschen aus einer LWC wie dem Englischen in eine LNC wie Moghamo sprachlich weiterentwickelt werden muss, wenn es richtig und einfach sein soll. Es wurde auch hinzugefügt, dass, sollte dieser Umstand ignoriert werden, es immer Herausforderungen geben wird, wenn aus dem Englischen ins Moghamo gedolmetscht wird. Nach der Untersuchung vor Ort und der Analyse der gesammelten Daten auf der phonologischen, semantischen, morphologischen und lexikalischen Ebene in Kapitel fünf ist es offensichtlich, dass die genannte Hypothese haltbar ist.

6.4 Beiträge zur Wissenschaft

Auch wenn diese vergleichende Studie über eine Sprache der breiteren Kommunikation in eine Sprache der engeren Kommunikation nicht die erste ist, so ist doch klar, dass der Schwerpunkt auf dem Dolmetschen aus dem Englischen ins Moghamo die erste ihrer Art ist. Kurz gesagt, es wurde noch nie ein Dokument über das Dolmetschen aus dem Englischen ins Moghamo geschrieben. Daher stellt diese Arbeit einen Beitrag zur Wissenschaft dar, was die Forschung in diesem Bereich betrifft. In Anbetracht der Tatsache, dass die Entwicklung der einheimischen Sprachen, einschließlich Moghamo, von den Kolonialherren unterdrückt wurde, ist diese Arbeit ein Schritt zur Umkehrung dieses Trends. Die in dieser Studie gesammelten englischen Lehnwörter sind ein Beitrag zur Entwicklung des Moghamo. Im Wesentlichen zeigen diese Fremdwörter, wie sehr sich das Moghamo dank des Kontakts mit dem Englischen auf phonologischer, semantischer, morphologischer und lexikalischer Ebene entwickelt hat. Darüber hinaus soll diese Arbeit die kamerunischen Sprachentwickler und -akteure sensibilisieren, damit sie dringend Maßnahmen ergreifen, bevor die einheimischen Sprachen zugunsten von "Prestigesprachen" aufgegeben werden. Gleichzeitig ist dies ein bescheidener Beitrag zur Erhaltung der Moghamo-Sprache, die aufgrund der hohen Landflucht, der Alphabetisierung, der Eheschließungen zwischen den Stämmen und der kulturellen Entfremdung schnell ausstirbt. Am wichtigsten ist, dass die noch zu entwickelnde oder zu dokumentierende Moghamo-Sprache so schnell wie möglich bewahrt wird, bevor die wenigen noch lebenden weisen Männer und Frauen aussterben.

6.5 Aufgetretene Hürden und Empfehlungen

Die Hindernisse, die sich im Laufe der Forschung ergeben haben, werden hervorgehoben, bevor wir zu den Empfehlungen übergehen.

6.5.1 Aufgetretene Hürden

Wie bereits erwähnt, sah sich die Forscherin im Laufe dieser Untersuchung mit einer Reihe von Hürden konfrontiert. Dazu gehörten:

- Es war schwierig, die Mehrheit der in dieser Studie genannten Dolmetscher bei der Arbeit anzutreffen, aber nur sonntags.
- Dem Forscher wurde der Zugang zu einem Gerichtssaal verweigert, um gedolmetschte Fälle aufzunehmen;
- Verfügbare Bücher über Moghamo waren nicht leicht zu bekommen; und
- Die befragten Dolmetscher gaben an, dass die häufige Verwendung von Lehnwörtern aus dem Englischen auf den Mangel an englischen Begriffen in Moghamo zurückzuführen ist. Diese Situation wird noch

komplizierter, wenn es um wissenschaftliche, technische, medizinische usw. Begriffe geht.

6.5.2Empfehlungen

In Anbetracht der oben genannten Hindernisse, die bei der Durchführung dieser Untersuchung aufgetreten sind, werden die folgenden Empfehlungen für notwendig erachtet:

- Moghamo als Sprache sollte entwickelt und auf ein akzeptables Niveau gebracht werden, damit sie mit westlichen und gut entwickelten Sprachen wie Englisch konkurrieren kann;
- Um die oben genannte Empfehlung erfolgreich umzusetzen, sollte Moghamo in allen Grund- und weiterführenden Schulen in der Umgebung von Moghamo unterrichtet werden, und sogar in einer Universität, falls vorhanden;
- Die MOLCOM muss sich dringend mit der Kodifizierung des Moghamo-Alphabets befassen;
- Außerdem muss der Prozess der Harmonisierung und Standardisierung der vier Moghamo-Dialekte, die in Kapitel vier dieser Arbeit genannt werden, beschleunigt werden;
- In Anbetracht der Hindernisse, die sich den Englisch-Moghamo-Dolmetschern in den Weg stellen, müssen die Übersetzer- und Dolmetscherschulen im Lande Kurzzeitkurse organisieren, um ihnen die Grundlagen (Praxis und Deontologie) des Berufs zu vermitteln; und

Jedes Seminar, das im Moghamo-Land organisiert wird, sollte Moghamo als erste Sprache haben, um der Sprache Glaubwürdigkeit zu verleihen und so zu ihrer Entwicklung beizutragen.

6.6 Vorschläge für weitere Forschung

Angesichts der vorstehenden Rückschläge und Empfehlungen zu dieser Arbeit gibt es zahlreiche Vorschläge für weitere Forschungsarbeiten. Sie umfassen:

- Durchführung von Forschungsarbeiten zu den Aspekten des Dolmetschens aus einer Sprache des engeren

Kommunikationsbereichs in eine Sprache des weiteren Kommunikationsbereichs;

- In Anbetracht der Fülle von Lehnwörtern, die heute beim Dolmetschen aus dem Englischen ins Moghamo verwendet werden, wäre es sehr zu begrüßen, wenn eine umfassende Liste all dieser Fremdwörter erstellt und ihre Entsprechungen im Moghamo vorgeschlagen würden;
- Eines der Ergebnisse zeigt, dass Moghamo durch den Kontakt mit dem Englischen bereichert wurde. Es muss daher auch untersucht werden, ob das Englische durch den Kontakt bereichert wurde oder nicht;
- Die Erforschung und Zusammenstellung aller Moghamo-Sprichwörter, Gutenachtgeschichten und Rätsel kann ebenfalls einen großen Beitrag zur Erhaltung des Moghamo leisten.
- Geschichte des Moghamo vollständig in Moghamo zu schreiben, kann auch die Entwicklung dieser Sprache fördern.

Wenn alle oben genannten Rückschläge, Empfehlungen und Vorschläge für weitere Forschungen und vieles mehr berücksichtigt werden können, wird Moghamo nicht mehr zu einer hybriden Sprache "verkommen", aussterben oder gar eine tote Sprache werden.

BIBLIOGRAPHIE

Adegoju, A. (2006), African Development: Focus on the Nigerian Milieu in African Linguistics and the Development of African Communities, Dakar, CODESRA.
Agborem, E-E. (2005), The History of Translation and Interpretation in Manyu Division: Eine Fallstudie über die kenianische Sprache, Universität Buea, unveröffentlichte Dissertation.
Anchimbe, E.A. (2006), Kameruner Englisch: Authentizität, Ökologie und Evolution, Frankfurt am Main, Peter Lang.
Aitchison, J. (1991), Language Change: Progress or Decay?, 3rd Ed., Cambridge, Cambridge University Press.
Ayafor, M. (2006), Kamtok (Pidgin) is Gaining Ground in Cameroon, in African Linguistics and the Development of African Communities, Dakar, CODESRA.
Barber, C. (2000), The English Language: Eine historische Einführung, Cambridge, Cambridge University Press.
Basien, F.V. und Meuleman, C. (2004), Dealing with Speakers' Errors and Speakers' Repairs in Simultaneous Interpretation: A Corpus-based Study, S. 59-82, in The Translator, Vol.10 (1), Manchester, St. Jerome Publishing.
Bamgbose, A. (1991), Language and the nation: The Language Question in Sub-Saharan Africa, Edinburgh, Edinburgh University Press.Biloa, E. (2004), Entlehnungen aus europäischen Sprachen in afrikanischen Sprachen:

Interkulturelle Beziehungen und Notwendigkeit, Yaounde, Universität von Yaounde I.
Bolinger, D. (1968), Aspekte der Sprache, New York, Harcourt.
Bowen, M. (2000), Community Interpreting, aiic.net.
Boyd, S. (1985), Language Survival: A Study of Language Contact, Language Shift and Language Choice in Sweden, Cambridge, Cambridge University Press.
Catford, J.C. (1965), A Linguistic Theory of Translation: An Essay in Applied Linguistics, London, Oxford University Press.
Charles, T. (2009), A Case for Community Translational

Communication from/into African Languages: Some Macro-Level Organisational and Management Concerns in Perspectives on Translation and Interpretation in Cameroon, S. 113-124, Bamenda, Langaa Research Publishing.
Chernov, G.V. (1995), Taking Care of the Sense in Simultaneous Interpreting in Teaching Translation and Interpeting 3, S.223-232, Amsterdam, Johns Benjamins Publishing Company.
Chia, E.N. (2006), Rescuing Endangered Languages for National Development in African Linguistics and the Development of African Communities, S. 115-128, Dakar, CODESRA. et al (2009), Perspectives on Translation and Interpretation, Bamenda, Langaa Research and Publishing.
Chilver, E.M. (1966), Zintgraff Explorations in Bamenda, Adamawa and the Benue Lands 1889-1892, Buea, Government Printer.
Christensen, J.T. (1986), An Effective Training Program for Interpretative Staff,pp. 14-16, in The Interpreter, Vol 17 (14), Kalifornien, Western Interpreters Association.
Chumbow, B.S. (1980), Language and Language Policy in Cameroon in Kale,N. (ed.) An African experience in nation building: the bilingual Republic of Cameroon since reunification, Colarado, Westview Press, pp. 281-311),(1998), Language Planning and National Development: the Case of Cameroon, Paper presented at the 20th International Laund Symposium, University of Duisburg.
Crystal, D. (2000), Language Death, Cambridge, Cambridge University Press. Delisle, J. (1977), Les pionniers de l'interprétation au Canada, Meta 22 (1), S. 5-14.
Ebot, W.A. (1995), Kultur und Sprachdynamik, in Epasa Moto, Vol. 1 (2), S. 90-101.
Edwards, J. und Jacobson, M.A. (1987), Standard and Regional Standard Speech: Distinctions and Similarities in Language in Society, Vol. 16 (3), Cambridge, Cambridge University Press.
Elsevier, (1980), Konferenzterminologie, 4th Ed. Verlag: de.wikipedia.org/wiki/language_interpretation
Eswards, A. B. (1995), The Practice of Court Interpreting, Amsterdam, John Benjamins Publishing Company.
Fenton, S. (2001), "Possess Yourselves of the Soil": Interpreting in

Early New Zealand, PP. 1-18, in The Translator, Vol. 7 (1), Manchester, St. Jerome Publishing.
Fonyonga, M.B. (2004), Contributions of Basel Missionary Translation to the Development of Mungaka, University of Buea, Unveröffentlichte Dissertation.
Gile, D. (2001), Konferenz- und Simultandolmetschen, in: Routledge, S. 40- 45, London, Routledge.
Gillies, A. (2005), Note-Taking for Consecutive Interpreting - A Short Course, Manchester, St. Jerome Publishing.
Gordon, R.G.Jr. (Hrsg.) (2005), Ethnologue: Languages of the World, 15th Ed.
Dallas, Texas, SIL International.
Grenoble, L.A. (1999), Endangered Languages: Language Loss and Community Response in Language Problems and Planning, pp. 233-250, Amsterdam, John Benjamins Publishing Company.
Grimes, B.F. (Hrsg.) (2002), Ethnologue: Languages of the World, 14th Ed. Dallas, Summer Institute of Linguistics.
Guthre, E. (1953), The Bantu Languages of Western Equatorial Africa, London, Oxford University Press.
Holm, J. (1988), Pidgin und Kreolen, Cambridge, Cambridge University Press.
Hoof, H.V. (1963), Théorie et pratique de l'interprétation, Munchen, Max Hueber Verlag.
Isham, W.P. (1998), Gebärdensprachdolmetschen, in: Routledge, S. 231-235, London, Routledge.
Jacques, E. (1990), La traduction et l'interprétation: une même fonction, deux approches différentes, Buea, Unveröffentlichte Dissertation.
Jones, R. (2002), Conference Interpreting Explained, Manchester, St. Jerome Publishing.
Julienne, N.M. (2005), Traduction en Basaa du Cameroun : Etude de quelques emprunts du français, de l'anglais et de l'allemand, Universität Buea, Unveröffentlichte Dissertation.
Kalina, S. (1994), Analysing Interpreters' Performance: Methoden und Probleme, S. 225-232, in Lehren Übersetzen und Dolmetschen 2, Amsterdam, John Benjamins Publishing Company.

Katan, D. (2004), Translating Cultures: Eine Einführung für Übersetzer, Dolmetscher und Vermittler, Manchester, St. Jerome Publishing.
Kim, Y.Y. und Gudykunst, W.B. (1988), Theories in Intercultural Communication, London, SAGE Publications.
Kopcznski, A. (1992), Qualität beim Konferenzdolmetschen: Some pragmatic problems, S. 189-198, in: Translation Studies: An Interdiscipline, Amsterdam, John Benjamins Publishing Company.
Kramer, C. (1999), Amtssprache, Minderheitensprache, gar keine Sprache: Die Geschichte des Mancedonischen im Grundschulunterricht auf dem Balkan, in: Sprachenprobleme und Planung, S.
233-250, Amsterdam, John Benjamins Publishing Company. Kouega, J-P. (2008), Entlehnungen aus einigen indigenen Sprachen in Kamerun Englisch, Alizes 16, S. 100-111, Universität von Reunion.
Kurultay, T. und Bulut, A. (2001), Interpreters-in-Aid at Disasters: Community Interpreters in the Process of Disaster Management, S. 249- 264, in The Translator, Vol 7 (2), Manchester, St. Jerome Publishing.
Lederer, M. (1981), La traduction simultanée, expérience et théorie, Paris, Lettres modernes.
(2003), Übersetzung: Das Interpretationsmodell, Manchester, St. Jerome Publishing.
Loh, E.E. (2005), Aspekte der Phonologie und Orthographie von Njen, Buea, Unveröffentlichte Diplomarbeit.
M.L.C. (2005), Meta' Language Diary, Mbengwi, MECUDA.
Mason, I. (1999), Dialogue Interpreting in The Translator, Vol.5 (2), Manchester, St. Jerome Publishing.
Mason, I. und Halim, B. (1997), The Translator as a Communicator, London, Routledge.
Massanga, D. W. (1983), The Spoken English of Educated Moghamo People: A Phonological Study, eine Doktorarbeit des 3e Zyklus, Universität Yaounde. Mba, G. (2006), Critères de généralités de l'enseignement des langues maternelles dans le système éducatif in African Linguistics and the Development of African Communities, S. 78-87, Dakar, CODESRA.

Mbah, H. (1983), The Origin of the Moghamo Clan, Unveröffentlicht.
Mbah, N.M. (2005), Moghamo Orthography Guide, Unveröffentlicht
(2007), Moghamo- English Lexicon, Unveröffentlicht.
Mbufong, P.K. (2009), How a Knowledge of Cameroon Pidgin English Can Help the Learning and Teaching of English, in Epasa Moto, Vol. 4 (1), pp. 91-104 in Anglophone Cameroon in English Today, Vol. 17 (3), pp.52-54.
McMahon, A.M.S. (1994), Understanding Language Change, Cambridge University Press.
Menget, J. (1999), The Moghamo Diary, 1st Ed., Batibo, BRC/NAMOCUDA Mikkelson, H. (?) The Professionalization of Community Interpreting, aiic.net.
(2000), Einführung in das Gerichtsdolmetschen, Manchester, St. Jerome Publishing.
Mudoh, M.M. et al (2005), An Address Presented to the Moderator of the Presbyterian Church in Cameroon, the Rt. Rev. Nyansako-Ni-Nku anlässlich der Grundsteinlegung für das neue Kirchengebäude in Bessi heute am 6.th Februar 2005.
Mutaka, N.M. und Tamanji, P.N. (1995), An Introduction to African Linguistics, Yaounde, Unveröffentlichte Dissertation.
Nama, C. A. (1989), The African Translator and the Language Change: Theoretische, praktische und nationalistische Überlegungen, Epasa Moto 1(1), S. 15-29.
(990), Eine Geschichte des Übersetzens und Dolmetschens in Kamerun von der vorkolonialen Zeit bis zur Gegenwart, in: Meta, Vol. 35 (2), pp. 356-369.
Ndi, E.A. (2009), Fon G.T. Mba II: 1922-2005, Bamenda, Agwecams Printers. Neba, A.N., Chumbow,B.S. und Tamanji, P.N.(2006), Towards the Universals of Loan Adaptation: the Case of Cameroonian Languages in African Linguistics and the Development of African Communities, Dakar, CODESRA.
Newmark, P. (1982), Approaches to Translation, Oxford, Pergamon Press.
(1988), A Textbook of Translation, London, Prentice Hall.
Ngoa, M.A. (2006), Les enjeux de la traduction en langues africaines: le cas du Cameroun in African Linguistics and the Development of

African Communities, S. 46-53, Dakar, CODESRA.
Ngwa, J.A. (1977), A New Geography of Cameroon, England, Longman. Nicholson, N.S. (1999), Language Policy Development for Interpreter
Services at the Executive Office for Immigration Review in Language Problems and Language Planning, Vol. 23 (1),pp. 37-63, Amsterdam, John Benjamins PublishingCompany.
Nilski, T. (1967), Übersetzer und Dolmetscher, S. 45-49, in Meta, Vol. 12 (2), Montréal, Les Presses de l'Université de Montréal.
Njang, S.M. (2001), Government and Politics in Moghamo Country: 1800- 1961, Bamenda, Esang Business Services.
Krankenschwester,D. und Heine, B. (2000), African Languages: Eine Einführung, Camdridge, Camdridge University Press.
Ojo, A. (1986), The Role of the translator of African Written Literature in Intercultural Consciousness and Relationships in Facets of Literary Translation in Meta XXI (3), Montréal, Les Presses de l'Université de Montreal.
Osofisan, F. (2000), The Intellectual Deficit in Nigeria's Quest for Development, Online verfügbar unter www.allafrica.com.html,pp. 1-4.
Phelan, M. (2001), The Interpreter's Resource, Clevedon, Multilingual Matters Ltd.
Pochlacker, F. (1994), Quality Assurance in Simultaneous Interpreting, S. 233-242, in Teaching Translation and Interpreting 2, Amsterdam, John Benjamins Publishing Company.
Pym, A. (2000), Negotiating the Frontier: Translators and Intercultures in Hispanic History, Manchester, St. Jerome Publishing.
Riccardi, A. (1995), Language-specific strategies in simultaneous interpreting, in Teaching Translation and Interpreting 3, pp. 213-222, Amstaredam, Johns Benjamins Publishing Company.
Roger, L.A.N. (2004), Les emprunts des langues coloniales en langue yemba, Universität Buea, Unveröffentlichte Dissertation.
Rozan, J.-F. (1984), La prise de notes en consécutive, Genève, Librairie de l'Unversite de Georg S.A.
Salamar-Carr, M. (2001), Interpretive Theory in Routledge, S. 112-114, London, Routledge.

Samah, A. A.A. (2005), The Advent, Growth and Impact of "New Churches" in Moghamo, 1974-2004, Yaounde, Unveröffentlichte Dissertation.
Schjodager, A. (1995), Assessment of Simultaneous Interpreting, S. 187- 195, in Teaching translation and Interoreting 3, Amsterdam, John Benjamins Publishing Company.
Seleskovitch, D. (1968), L'interprète dans les conférences internationales: problèmes de langues et de communication, Paris, Lettres modernes.
(1978), Dolmetschen bei internationalen Konferenzen: Problems of Language and Communication, Washington, Library of Language.
und Lederer, M. (1986), Interpreter pour traduire, Collection traductologie no. 1, Paris, Didier.
Shuttleworth, M. und Cowie, M. (1997), Dictionary of Translation Studies, Manchester, St. Jerome Publishing.
Tadadjeu, M. und Sadembouo, E. (1984), Allgemeines Alphabet der kamerunischen Sprachen, zweisprachige Ausgabe, Yaounde, PROPELCA Series.
Handbuch für die Diplomarbeit, (2004), Buea, ASTI
Tamanji, P.N. (2001), Indirect Borrowing; A Source of Lexical Expansion,Yaounde, University of Yaounde I.
Tanda, V. (2006), Sociolinguistic Aspects of Language Loss: Case Study of the Situation of Cameroon in Chia et al, 18-36, Limbe, ANUCAM.
Tanda, V. und Tabah, E. (2005), The Impact of Globalisation on African Languages and Orature in Chia et al, pp. 1-15, Limbe, ANUCAM.
Tanyi,A.(1992),Translation in a Multinational Context: the Case of Cameroon, Buea University Centre, Unveröffentlichte Dissertation.
Tata, J.Y. (1993), A Critical Analysis of Professional Translation in Cameroon 1960-1993, Universität Buea, unveröffentlichte Dissertation.
Tene, A.N. (2009), La pratique de la traduction et de l'interprétation dans une société multilingue : Défis et perspectives in Perspectives on Translation and Interpretation in Cameroon, pp. 59-70, Bamenda, Langaa Research Publishing.

Tim et al,(1970),Katechismus und Gebetbuch in Pidgin-Englisch und Moghamo, Batibo, Katholische Kirche.
Timothy-Asobele, S.J. (2007), Conflict Resolution and Peace-Making: The Role of Translators and Interpreters, Lagos, Upper Standard-Veröffentlichungen.

Uzoaku, O.A. (2006), Von den gefesselten Zungen und den verschwindenden Voices: Implikationen für die afrikanische Entwicklung in‡ African
Linguistik und die Entwicklung der afrikanischen Gemeinschaften, Dakar, CODESRA.
Wadensjo, C. (2001), Community Interpreting in Routledge, S. 29-40, London, Routledge.
Warlhaugh, R. (1992), Eine Einführung in die Soziolinguistik, Oxford, Blackwell.
Weale, E. (1997), From Babel to Brussels: Conference Interpreting and the Art of the Impossible, in Nonverbal Communication and Translation, S. 295-3112, Amsterdam, John Benjamins Publishing Company.
Werebesi, L.T. (2008), The Incidence of Translation and Interpretation on the Evolution of the Moghamo Language: A Historical Perspective, University of Buea Unveröffentlichte Dissertation.
web.wanadoo.b/brain.huerbner/interp.htm
Weinreich, U. (1964), Sprachen im Kontakt: Findings and Problems, 3rd Ed. London, Mouton and Co.William, P.I. (1998), Gebärdensprachdolmetschen, in: Routledge, S.231-235, London, Routledge.

Wolff, H.E. (2000), Language and Society in African Languages: An Introduction, S. 298-347, Cambridge, Cambridge University Press.
Yolande, P.L.T. (2004), Traduction et échanges interculturels : cas duBasa'a et du fancais, University of Buea, Unveröffentlichte Dissertation.
Webster, N. (1979), Webster's New Twentieth Century Dictionary, 2nd Ed.New York, New World Dictionaries/Simon and Schuster.www.inter-trans-biz 19/04/2010

ANHÄNGE

ANHANG I: BEISPIELFRAGEN FÜR DAS INTERVIEW

I- Einleitung und Erläuterung des Zwecks des Interviews
II-Interview Richtig
1) Wie ist Ihr Name?
2) Was ist Ihr Beruf?
3) Wie alt sind Sie?
4) Welches ist Ihre Konfession?
5) Sprechen Sie regelmäßig Moghamo? Wenn ja, wo und mit wem? Wenn nein, warum?
6) Gibt es einen Unterschied in der Qualität des Moghamo, das heute gesprochen wird, im Vergleich zu dem, das vor so vielen Jahren gesprochen wurde?
7) Welche Gründe können für diese Unterschiede angeführt werden?
8) Sind Sie jemals auf Dokumente in Moghamo gestoßen?
9) Wenn die Antwort auf die Frage (8) positiv ausfällt, wer sind dann die Autoren solcher schriftlichen Werke?
10) Wie viele Konfessionen leben in Moghamo zusammen?
11) Wann kamen die oben genannten Gruppen in das Land Moghamo?
12) Wie wurde die Kommunikation zwischen den Missionaren und den Eingeborenen sichergestellt, und wer waren ihre Dolmetscher?
13) Welcher Code wurde in Moghamo zur Kommunikation verwendet?
14) In welcher Sprache wird heute in den Kirchen rund um Moghamo das Wort Gottes gepredigt, und wer sind die Dolmetscher?
15) Welches waren die ersten Missionare, die den Boden von Moghamo betraten, und wer waren ihre Dolmetscher?
16) In welchen Sprachen wurde den Gläubigen oder Christen an Sonntagen und anderen Tagen gepredigt?
17) Nennen Sie die Namen der beteiligten Prediger.
18) Welche Faktoren waren und sind für das Dolmetschen aus dem Englischen ins Moghamo ausschlaggebend?
19) Hat das Dolmetschen einen Einfluss auf Moghamo?
20) Nennen Sie einige der regelmäßig verwendeten Fremdwörter in Moghamo, die durch Dolmetschen und/oder Übersetzen entstanden sind.
21) Ist diese Auswirkung Ihrer Meinung nach positiv oder negativ?
22) Was kann getan werden, um Moghamo zu erhalten oder sein Aussterben zu verhindern?

ANHANG II: LISTE EINIGER BEFRAGTER PERSONEN

Name	Datum des Interview	Beruf	Alter
Seine Königliche Hoheit Fon Richardson Mbah	28/02/2010	Traditionelles Lineal	Über90 Jahre
Herr Mbah Martin	28/02/2010	Rundfunksprecher im Ruhestand / Kirchliche Dolmetscherin	73
Herr Mbah Mbah Jawara	28/02/2010	Prediger/Dolmetscher	23
Herr Fondeh Daniel	28/02/2010	Lehrerin/Dolmetscherin	58
Frau Forti Josephine Azoh	01/o3/2010	Prediger/Dolmetscher	45
Herr Tebong Robert	01/03/2010	Prediger/Dolmetscher	45
Herr Forti Christopher	21/03/2010	Lehrerin/Dolmetscherin	55
Fon Muyah Joseph II	16/08/2010	Traditionelles Lineal	Etwa 50
Herr Mbabid Edwin	16/08/2010	Broadcaster mit VOM	
Herr Shey Lukong Felix	16/08/2010	Krankenschwester (Nicht Einheimische)	
Herr Mba Lucas Aburo	16/08/2010	R/d Dolmetscher bei Gericht	
Dr. Angwafor Samuel	17/08/2010	Mediziner	

Milton Keynes UK
Ingram Content Group UK Ltd.
UKHW010649220124
436466UK00001B/131